LE GUIDE QUÉBÉCOIS DES

# PLANTES D'INTÉRIEUR

Cet ouvrage a été originellement publié par
Summerhill Press Ltd
5 Clarence Square
Toronto (Ontario)
M5V 1H1

sous le titre:
HOUSEPLANTS

Publié avec la collaboration de
Montreal-Contacts / The Rights Agency
C.P. 596, Succ. «N»
Montréal (Québec)
H2X 3M6



Dépôts légaux, 1er trimestre 1988
Bibliothèque nationale du Québec
Bibliothèque nationale du Canada
ISBN 2-89089-438-X

LES ÉDITIONS QUEBECOR
Une division de Groupe Quebecor inc.
4435, boul. des Grandes Prairies
Montréal (Québec)
H1R 3N4

Distribution: Québec Livres

Conception et réalisation graphique de la page couverture:
Bernard Lamy et Carole Garon

Photo de la couverture: Sylvain Majeau

MARK CULLEN

# LE GUIDE QUÉBÉCOIS DES
# PLANTES D'INTÉRIEUR

PRÉFACE DE MARC MELOCHE

Traduit
de l'anglais
par
Sylvie Massariol

Les Éditions
Quebecor

Les plantes prennent de plus en plus d'importance lorsque vient le moment de décorer notre intérieur. Elles sont même devenues des éléments vitaux de décoration. Il n'est plus rare, en effet, de voir certains meubles être remplacés par des îlots de plantes dans le but d'apporter plus de chaleur et de vie au décor. Le nombre des variétés disponibles sur le marché s'est aussi considérablement accru depuis quelques années, multipliant d'autant les inconnues concernant le mode de culture de chaque nouvelle espèce. Comme tous et chacun ne possèdent pas forcément toutes les connaissances de base nécessaires à la réussite de leurs plantes d'intérieur, le présent ouvrage s'avérera précieux autant pour le débutant que l'amateur plus renseigné.

Écrit par un expert chevronné, ce livre renferme justement tous les renseignements requis pour bien choisir puis entretenir ses plantes d'intérieur. Leurs besoins en éclairage, les différentes techniques de taille et d'entretien, la manière et le moment appropriés pour les fertiliser sont autant de sujets que l'auteur aborde de façon claire et détaillée. Le lecteur trouvera en outre dans cet ouvrage une foule de trucs et de conseils toujours faciles à réaliser pour faire fleurir les variétés plus capricieuses, multiplier les favorites, ou encore soigner celles qui seraient malades ou attaquées par des insectes.

Débordant d'idées, ce livre contient entre autres une approche intéressante de la culture hydroponique dont on ne peut que faire l'éloge tout comme le reste du contenu. Il saura à coup sûr répondre à la plupart des questions sur le sujet.

Marc Meloche,
horticulteur, fleuriste

*À ma femme Mary,*
*en remerciement pour*
*le soutien, l'inspiration,*
*et l'espace qu'elle me donne.*

«La chose la plus remarquable à souligner à propos des jardiniers, c'est qu'ils sont toujours optimistes, pleins d'initiative, et jamais satisfaits; ils cherchent constamment à faire mieux que ce qu'ils ont déjà fait.»

Vita Sackville-West
(1892-1962)
Auteure anglaise et jardinière

## Table des matières

## Lettre de Mark

La culture des plantes d'intérieur est relativement nouvelle chez nous. Auparavant, on se permettait, lors d'occasions spéciales, de décorer les lieux de fleurs coupées, mais oser apporter un pot de terre dans le salon était pire que de laisser des traces de boue sur le parquet de la cuisine... À moins d'avoir une serre, il fallait attendre le printemps pour égayer la maison de fleurs.

De nos jours, lorsque quelqu'un monte dans l'ascenseur de l'immeuble où il habite avec un sac de terre dans les mains, il peut s'attendre à recevoir le genre de sourire que l'on fait aux petits enfants ou aux gens qui promènent leur animal domestique. Mais, tout compte fait, ce sera sans doute la seule réaction qu'il suscitera.

Le jardinage extérieur apporte beaucoup de plaisir. Il implique tous nos sens : la vue d'une belle fleur, l'odeur et le toucher de la terre, le goût des légumes et des fruits frais et l'écoute du chant des oiseaux. Le jardinage d'intérieur peut entraîner des plaisirs similaires, mais en quantité moindre.

Ce livre est donc spécialement écrit pour les personnes qui veulent apporter un peu de terre dans leur maison ! Les débutants y trouveront les renseignements fondamentaux dont ils ont besoin, que ce soit pour augmenter la floraison de violettes africaines ou pour entretenir un jardin intérieur de plantes tropicales. Mais, que vous débutiez dans le domaine ou que vous ayez un peu d'expérience, j'espère que vous découvrirez que ce passe-temps n'est pas aussi difficile, accaparant ou salissant que vous le pensiez. J'espère aussi que votre plaisir vous encouragera à étendre votre répertoire de plantes et de connaissances.

Les vrais pouces verts, pour leur part, trouveront dans ce livre plusieurs petits trucs pratiques qui faciliteront grandement leur travail.

Enfin, je souhaite que ce livre constituera une distraction privilégiée, au milieu de ce monde agité dans lequel nous vivons, et que les anecdotes et renseignements que vous y trouverez produiront des plantes et des fleurs au-delà de vos espérances...

Bon jardinage !

**Mark Cullen**

# Chapitre 1

# Outils et matériaux

# Outils et matériaux

Dans l'ancien temps, lorsque le bûcheron ne pouvait se rendre au magasin général que deux fois par année pour y faire aiguiser ses outils, il prenait soin de sa hache. Il la gardait propre et reluisante. La lame était toujours bien affûtée et pas une parcelle de rouille ne la ternissait. Lorsque la conversation tombait sur le sujet, il disait: « J'ai cette hache depuis mes dix-huit ans... il y a de cela vingt-cinq ans. J'ai bien dû en changer le manche une demi-douzaine de fois et remplacer la tête une fois ou deux, mais c'est toujours la même bonne vieille hache. »

Vos outils de jardin devraient être aussi résistants. Si vous avez des instruments de bonne qualité, les bords tranchants devraient rester aiguisés plus longtemps. Les goupilles des cisailles et des sécateurs devraient maintenir bien en place les lames pour effectuer des coupes propres et nettes. Ainsi, vous n'aurez pas à vous rendre au « magasin général » deux fois par année pour remettre vos outils en état!

Mais il n'y a pas que la qualité qui est importante. Les soins que vous donnez à vos instruments le sont tout autant, comme de mettre une goutte d'huile sur les goupilles, de passer un coup de pierre à aiguiser sur les lames et de nettoyer les outils avant de les ranger. Examinons plus spécifiquement chacun des outils qui vous seront nécessaires.

## Outils

*Ciseaux.* Une paire de ciseaux à longs manches et à courtes lames sera nécessaire pour enlever les branches mortes de votre azalée, émonder vos géraniums, et ainsi de suite. Gardez vos ciseaux toujours propres à l'aide d'un linge huilé, et bien tranchants grâce à une fine pierre à aiguiser.

*Couteau.* Le couteau devrait être court, aiguisé et solide. Il y a peu de risques que vous ayez à couper quelque chose de très épais, mais pour marcotter une vieille dieffenbachia vous aurez besoin

*Outils pour les plantes d'intérieur.*

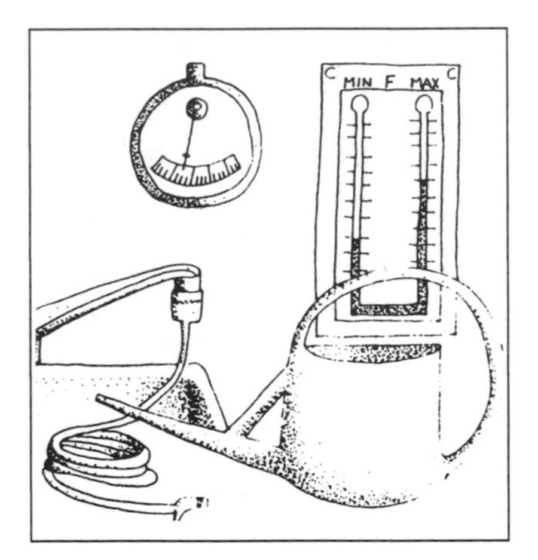


*Arrosoirs et compteurs.*

d'un bon couteau bien affûté pour ne pas déchirer les tiges.

*Vaporisateur/atomiseur.* Dans la plupart des cas, tout ce dont vous aurez besoin pour vos plantes d'intérieur c'est une bouteille pour vaporiser l'eau, telle une bouteille de nettoyeur à vitres. Si vous avez un très grand nombre de plantes ou de semences à vaporiser, un atomiseur à pression, habituellement utilisé pour répandre de l'insecticide à l'extérieur de la maison, peut s'avérer très utile. Vous pouvez même trouver sur le marché des pulvérisateurs à piles. Quel que soit l'outil que vous choisissiez, ce qui importe c'est de vaporiser vos plantes régulièrement.

*Houe, râteau et pelle.* Il existe de petits ensembles de ces instruments qui peuvent devenir utiles pour rempoter des plantes ou ratisser les dépôts salins qui se forment sur le mélange terreux. Un vieux couteau, une fourchette ou une cuillère feront tout aussi bien l'affaire. Toutefois, pour les grandes jardinières aux fenêtres ou les jardins tropicaux intérieurs, l'emploi d'outils spécifiques rendra votre travail plus facile.

*Compteurs d'humidité.* Ici il faut faire attention. Quelques-uns de ces compteurs mesurent les sels contenus dans le mélange terreux, et non pas vraiment le degré d'humidité. Ainsi, un bac contenant peu d'humidité et beaucoup de sels pourra indiquer *humide* au compteur. Pour vérifier l'exactitude de votre instrument, placez la tige-sonde dans un verre d'eau distillée. Si le compteur indique *sec* ou *peu d'humidité*, laissez-le de côté. À la place, touchez la terre avec vos doigts pour en évaluer le degré d'humidité et regardez l'état général de vos feuilles. Vous saurez ainsi quand il faut arroser. Pour ma part, le fait d'insérer mon index dans le mélange terreux s'avère le meilleur test.

*Arrosoir.* Procurez-vous un arrosoir au long bec pour qu'il puisse passer à travers le feuillage et se rendre à la surface du mélange terreux. Le réservoir ne doit pas être trop gros. Assurez-vous de pouvoir manier facilement l'instrument; n'oubliez pas que vous devrez être capable de le soulever aisément pour arroser les plantes suspendues. Les boyaux d'arrosage que l'on peut fixer au robinet facilitent la tâche, mais je ne suis pas en faveur de cette méthode car je n'aime pas arroser les plantes avec de l'eau froide contenant du chlore.

*Thermomètre, hygromètre, photomètre.* Vous devrez peut-être vous procurer ces instruments de mesure si vos plantes ont des besoins particuliers concernant la température, l'humidité et la lumière. Lorsque vous devez respecter des degrés très spécifiques, il est préférable de ne pas vous fier seulement à vos sens, mais aussi à des instruments de mesure précis. Deux choses sont à retenir: il faut acheter des outils de qualité et savoir les utiliser adéquatement.

## Matériaux nécessaires

Bien qu'ils puissent varier énormément, les *pots* et autres contenants pour plantes doivent tous avoir un point en commun: assurer un bon drainage grâce à des petits trous dans le fond. Ces trous de drainage sont primordiaux car, si le contenant peut évacuer l'excédent d'eau facile-

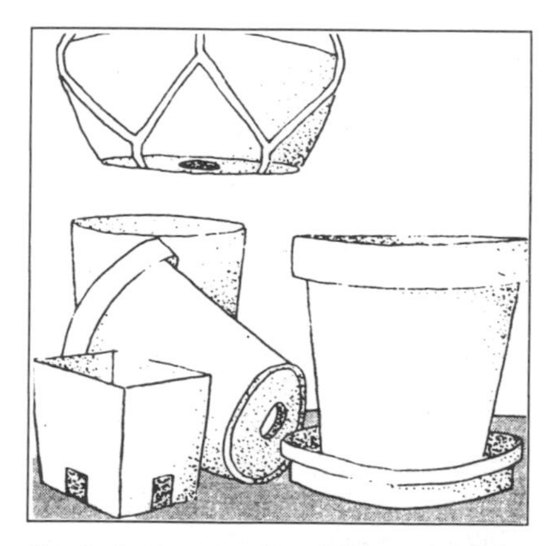

*Le drainage constitue l'élément fondamental des pots et des contenants pour plantes.*

*La fabrication de son propre mélange terreux.*

ment, il est alors presque impossible de donner trop d'eau à vos plantes, à condition, bien sûr, que le mélange terreux ne soit pas trop dense.

Les pots de terre cuite sont probablement les plus populaires. On les retrouve dans une grande variété de formes et de grandeurs; quelques-uns, comme les pots pour orchidées ou pour crocus, ont des buts spécifiques. Parce qu'ils sont lourds, ils risquent moins d'être renversés par les chats ou les malencontreux coups de coude! (Toutefois, leur poids devient un problème quand il s'agit de déplacer de grands bacs de terre cuite.) Grâce à leur rigidité, vous ne ferez aucun dommage aux racines qui poussent près de la paroi des pots si vous les bougez. Puisque le matériau est poreux, l'air peut passer dans la terre et la garder fraîche à mesure que l'humidité s'évapore. Leur grande fragilité s'avère leur principal inconvénient.

Les pots vernis sont, généralement, moins cassables que les pots d'argile. On peut en trouver de tout genre, grandeur, forme, couleur et texture, mais, trop souvent malheureusement, ils ne contiennent aucun trou de drainage. Si vous préférez ce type de contenant, vous avez le choix entre, premièrement, percer vous-même des trous dans le fond, ou, deuxièmement, placer la plante dans un pot ayant des trous et disposer ce pot dans le contenant verni; dans ce cas, vous devez déverser l'eau en trop toutes les fois que vous arrosez.

Les pots en plastique sont certainement les moins chers. Cependant, ce sont eux qui présentent le plus d'inconvénients: ils ne «respirent» pas, peuvent devenir chauds et se détériorent au soleil. Ils sont aussi trop flexibles, ce qui permet à la terre de s'entasser et de créer des espaces vides près de la paroi, laissant sans eau les racines qui s'y trouvent. Par contre, les bacs de plastique constituent de bons contenants intermédiaires pour les plantes qui sont entre la jeune pousse et la maturation ou pour celles qui seront bientôt transplantées à l'extérieur. Ces pots peuvent être réutilisés, se nettoient plus aisément que les contenants en argile et, s'ils sont placés dans de la sphaigne, peuvent garder les racines au frais et à l'abri du soleil. Ils sont tout à fait indiqués pour un coin de violettes africaines que l'on empotera séparément et que l'on placera dans un panier contenant de la tourbe de sphaigne.

Il est très important que les boîtes de bois aient un bon drainage pour ne pas garder l'eau, ce qui causerait de la pourriture. De fait, les boîtes de bois (tout comme les paniers de vannerie et autres matériaux de la sorte) sont plutôt indiquées pour contenir des plantes déjà empotées.

En réalité, presque n'importe quoi peut être utilisé comme contenant: une vieille boîte de fer-blanc, une auge en ciment, une soupière dont on ne se sert plus, etc. Mais n'oubliez pas que le point le plus important est le drainage.

*Le secret qui assure 80 % de votre réussite.* Si vous comprenez les exigences fondamentales des plantes, vous avez déjà 80 % des chances de réussite. Toutes les plantes demandent quatre choses: la lumière, l'eau, l'air et les matières nutritives. Les racines, pour leur part, exigent tous ces éléments, sauf la lumière. Mais c'est la juste combinaison de ces quatre composantes qui garantit un succès complet, but que s'efforcent d'atteindre tous les jardiniers, y compris moi-même.

> **Proverbe chinois**
> «Celui qui plante un jardin, plante aussi le bonheur.»

Voilà pourquoi les mélanges terreux sont si importants. Dans les pages qui suivent, je vous explique en détail tout ce que vous devez savoir à leur sujet.

## Les mélanges terreux

La terre doit permettre (eh oui! je le répète encore!) un bon drainage... Si je le redis si souvent c'est que le drainage est vraiment l'élément le plus important. Lorsque le mélange terreux est léger, l'excédent d'eau est drainé, transportant des sels minéraux nuisibles et laissant des trous dans la terre à travers lesquels l'air peut atteindre les racines. Un bon mélange terreux pour la croissance contiendra aussi des particules poreuses qui retiendront l'eau, telle une éponge. Cela

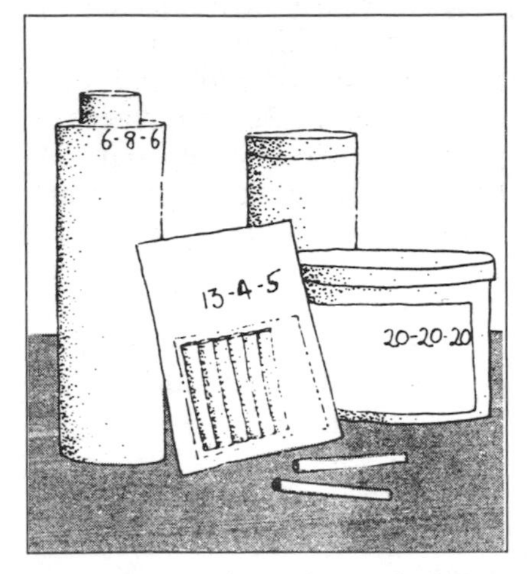


*On retrouve des engrais dans une grande variété de formes et de mélanges.*

permettra aux racines de prendre l'humidité dont elles ont besoin sans baigner dans l'eau jusqu'à étouffer. Les mélanges terreux doivent être stérilisés afin de ne pas contenir d'insectes, de moisissure ni de graines de mauvaises herbes.

Vous pouvez faire votre mélange de terre. Le plus commun est constitué de parts égales de tourbe, de terreau et de sable, mais la stérilisation peut devenir un problème si vous faites vous-même le mélange. Vous pouvez stériliser la préparation dans votre cuisine, en la mettant au four à 93° C (200° F) ou à l'extérieur sur un barbecue ou un réchaud de camping (pendant environ une demi-heure), ou encore à l'aide de produits chimiques comme la formaldéhyde ou d'un appareil spécialement conçu pour vaporiser les sols. Mais à tout bien considérer, je crois que la meilleure solution est d'acheter le mélange terreux déjà préparé et d'une marque connue. Ma préférence va au mélange préparé et ensaché de tourbe, de perlite et de sable. Cette préparation, prête à servir, conviendra parfaitement à la plupart des plantes d'intérieur et les exceptions n'auront besoin que de quelques ajouts.

Il est possible de faire plusieurs modifications pour rendre le mélange terreux plus léger, plus lourd ou plus acide. Le sable employé dans la construction est excellent pour les racines de boutures car il ne s'amasse pas en tas et laisse passer l'air. Le sable de plage, très fin et très doux, est bon comme ajout au mélange terreux. On peut aussi utiliser du sable grossier.

*La tourbe* provient de la décomposition en marécage de certains végétaux. Qu'elle soit employée seule ou dans un mélange terreux, on doit l'humecter d'abord. La tourbe sèche peut soutirer l'humidité des racines, spécialement les jeunes racines des semis, et déshydrater les plantes de façon irréversible en quelques minutes seulement. Avant de les utiliser, faites donc toujours tremper la tourbe et les mélanges de tourbe pendant plusieurs heures dans de l'eau chaude, de préférence. L'eau froide tend à couvrir la tourbe sans la saturer.

*La vermiculite* est constituée de particules de mica qui, sous l'action de la chaleur, éclatent en une sorte d'accordéon occupant ainsi vingt fois son volume original. La vermiculite est très légère et absorbe une grande quantité d'eau, telle une éponge. Certains greniers sont isolés avec ce mica.

*La perlite*, sorte de granite, éclate comme du maïs lorsqu'elle est broyée et chauffée, occupant, elle aussi, un volume vingt fois plus grand. Ce matériau est très léger et spongieux. La vermiculite et la perlite offrent une grande rétention d'eau et d'oxygène.

*La tourbe de sphaigne.* Elle est composée surtout de mousses. Dans sa forme première, la tourbe de sphaigne est excellente comme revêtement dans les paniers de métal utilisés pour suspendre les fougères. Elle est aussi très bonne comme paillis entre plusieurs pots regroupés puisqu'elle garde bien l'humidité.

Dans le jardinage extérieur, le compost est absolument indispensable. Fait d'ordures ménagères, de feuilles et de restants de journaux décomposés par des bactéries naturelles en une riche matière organique, il resserre le sable et morcelle l'argile. À l'intérieur de la maison, toutefois, à moins que vous ne le stérilisiez, le compost apportera probablement des champignons, des graines de mauvaises herbes et des insectes si vous en mettez dans vos pots.

*L'engrais.* Il peut être naturel, chimique, sous forme de comprimés, de bâtonnets ou de granules, soluble à l'eau et vendu dans un grand nombre de formules (10-6-4, 20-20-20, 5-10-10). Pour les plantes d'intérieur, je préfère l'engrais soluble aux granules parce que l'effet est immédiat: dans d'autres cas, il faut attendre que les bactéries de la terre les changent en sels solubles à l'eau. L'engrais chimique a un pas d'avance sur l'engrais naturel, car il n'a pas à être transformé par les bactéries avant d'être absorbé par les plantes. Cette transformation requiert un certain temps, ce que ne peut se permettre une plante mal en point.

**Le saviez-vous?**

En moyenne, l'eau voyage dans la tige de la plante à une vitesse de 1,2 m (4 pi) à l'heure.

Chapitre 2

# Multiplication

# Multiplication

Selon la Bible, le Seigneur a dit : « Soyez féconds et multipliez-vous ! » Si les premiers traducteurs avaient réellement été honnêtes, je crois que ce fameux passage aurait pu ressembler à ceci : « La verdure de ce monde est là dans un but très spécial ; elle produit tout l'oxygène que vos respirez, vous aide à vous relaxer et ensoleille vos journées. Par conséquent, multipliez-la. » Bien que certains aient décidé qu'Il parlait de la reproduction des personnes, et non des plantes, je suis content de constater que certains jardiniers ont répondu à l'appel en décidant de propager la verdure !

Les pages qui suivent contiennent un résumé sur la multiplication des plantes, fruit de plusieurs années d'expérience. Suivez mes instructions à la lettre, et vous connaîtrez bientôt la satisfaction inégalable de réussir la multiplication de plantes.

## Les graines

Selon moi, les graines sont le deuxième plus grand miracle de la nature, après les bébés, et je suis toujours en admiration devant le fait que chaque enveloppe de graine contient une vie complète.

La graine est le point de départ le plus courant dans la multiplication des espèces de plantes, bien qu'il existe des espèces qui fleurissent rarement, ou même jamais, comme le philodendron. Toutefois, des graines sont disponibles pour la plupart des plantes d'intérieur. Il est préférable d'acheter des graines de compagnies reconnues et spécialisées dans le domaine. Ainsi, vous serez certain qu'elles sont fraîches et qu'elles ont été stockées précautionneusement pour une germination plus rapide et plus sûre. Lorsque vous prenez des graines directement d'une plante d'intérieur, chez un ami, ou de fleurs sauvages que vous désirez domestiquer, la germination reste incertaine.

De plus, vous n'aurez aucune certitude quant à la couleur de la fleur. À moins que la pollinisa-

**Plus précieux que l'or**

La vente des graines de la populaire plante d'intérieur *calceolaria* rapporte des montants allant jusqu'à 1 440 $ par année. Les variétés hybrides, pour leur part, produisent des recettes atteignant 3 000 $.

Mais, où ai-je donc mis mon sachet de graines de *calceolaria*?

tion croisée soit méticuleusement contrôlée, les graines de violettes africaines que vous faites pousser peuvent ne pas produire les mêmes petites fleurs bleues à marges blanches que celles de leurs parents. Cependant, ce genre d'entreprise peut s'avérer intéressant, ne serait-ce que pour avoir la surprise des résultats...

## Matériaux nécessaires

*Les graines.* Il vous faudra des graines, bien sûr, de préférence fraîches, de bonne qualité et d'une lignée connue. Vous pouvez mêler les graines extra-fines, par exemple les graines de cactus ou de bégonias, à du sable blanc ou à de la farine de maïs afin de voir par la suite où vous les avez plantées. Les graines qui ont besoin d'une période de repos avant de germer, comme les graines de rosiers, devraient passer environ six semaines au froid dans de la tourbe sèche!

*Plateaux à semis et couvercles.* Les plateaux à semis peuvent être de n'importe quelle grandeur. Ils doivent être recouverts et avoir un bon drainage. Environ 5 cm de mélange terreux suffisent. Les grands contenants offrent l'avantage de laisser plus d'espace entre les graines et réduisent ainsi les risques d'étouffement. Lorsque viendra le temps d'empoter les plantules (jeunes pousses), leurs racines subiront moins de dommages et de coups. Des couvercles de plastique clair aident à garder l'humidité des graines pendant leur germination. Vous pouvez aussi recouvrir les plateaux avec une vitre ou les entourer d'un sac de plastique. Pour ma part, j'aime bien utiliser les carreaux de plastique, disponibles dans tous les centres de jardinage. Ils se nettoient facilement, sont stériles et occupent peu d'espace de rangement lorsqu'ils ne servent pas.

*Le mélange terreux* doit être léger et stérilisé pour ne pas renfermer de graines de mauvaises herbes ni de champignons parasites pouvant s'attaquer aux plantules. Les mélanges terreux légers laissent passer l'air pour atteindre les racines et facilitent l'empotage. Toutes les préparations commerciales sont très bonnes; vous pouvez aussi faire votre propre mélange en mêlant des parts égales de vermiculite, de fine tourbe et de sable.

Le choix des *contenants à semis* est très grand: de la céramique à l'argile en passant par le ferblanc. Les seules exigences requises sont la propreté et un bon drainage. Les pots recyclés devraient être brossés à l'aide d'une brosse dure et de vinaigre afin d'y déloger tous les dépôts salins. Ensuite, il faut les tremper dans de l'eau de javel diluée puis les sécher bien à fond. Les plantes qui poussent rapidement, et qui seront par le fait même vite empotées, peuvent être placées dans un contenant de fibres biodégradables. Par la suite, lorsque les plantules seront déposées dans le pot suivant ou transplantées à l'extérieur de la maison, elles garderont ce contenant de fibres. Un tel procédé élimine complètement les dommages éventuels aux racines.

*L'étiquetage* est très important. À moins que vous semiez une

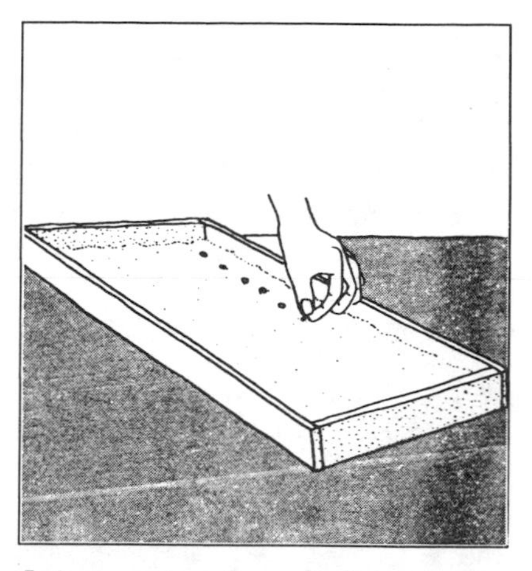

*Laissez environ 2 cm de distance entre les graines pour assurer une bonne circulation d'air.*

seule sorte de graines, vous devriez étiqueter vos semences afin de pouvoir les identifier plus tard. Même si, dans les débuts, vous vous souvenez très bien de ce que contient chaque pot, viendra un jour où vous n'en serez plus sûr. L'étiquetage règle donc ce problème une fois pour toutes.

*Les fongicides* sont utilisés pour contrer les maladies. Ils ne sont pas indispensables si vous séparez bien les graines et employez un mélange à enracinement et des pots stérilisés. Malgré cela, j'en mets toujours dans mes propres semis...

*Les câbles chauffants* sont à l'épreuve de l'eau et réchauffent

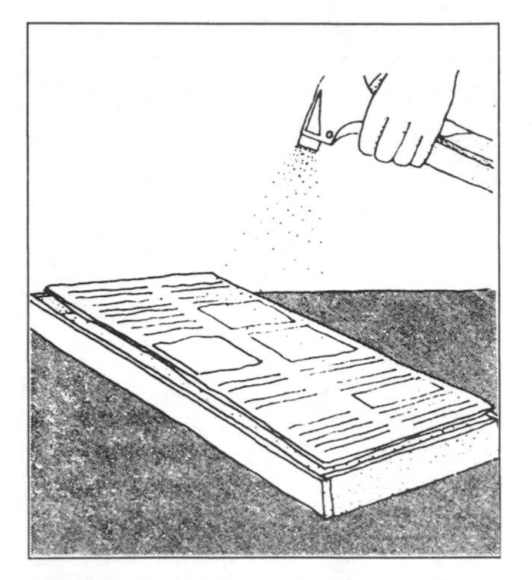

*Gardez les graines dans un mélange humide, à l'aide de journaux mouillés, jusqu'à ce qu'elles germent.*

le sol à une température variant entre 24° C et 26° C (de 75° F à 80° F) environ. Ils accélèrent le processus de germination. Ils ne sont pas absolument nécessaires, mais constituent une excellente idée pour les gens pressés. Les câbles chauffants s'avèrent utiles pour activer le développement des bulbes pour une floraison d'hiver.

**Méthode.** Remplissez le contenant à semis presque jusqu'au bord avec le mélange à enracinement et placez les graines sur le dessus du mélange. Laissez au moins 2 cm entre les graines pour assurer une bonne circulation d'air, réduire les risques d'étouffement, stimuler une croissance rigoureuse et permettre un empotage plus facile. Si vous plantez de petites graines mélangées à de la farine de maïs, vous n'aurez pas besoin de les recouvrir de mélange terreux. Quant aux plus grosses graines, il faut les saupoudrer de mélange ou de sable. Toutes les sortes de graines nécessitent de l'eau. N'utilisez pas un arrosoir, car le jet pourrait déloger les graines et les entasser. La meilleure méthode est de placer le contenant dans un bassin ou une cuve ayant environ 5 cm d'eau. Lorsque tout le mélange terreux est humide, laissez-le s'égoutter. De cette façon, vous saurez que la terre est bien humectée et que vos graines sont restées en place.

La deuxième méthode est de bassiner (projeter de l'eau en pluie fine) vos semis; toutefois, cela prend beaucoup de temps et de patience.

Une fois que le sol est trempé, recouvrez-le d'un carreau de plastique, de vitre ou d'un sac de plastique pour garder l'humidité jusqu'à ce que les graines germent. Vous pouvez même disposer une feuille de papier journal mouillée sur le mélange terreux avant d'ajouter le couvercle du contenant. Placez ensuite le pot dans un coin chaud et à l'ombre. Vérifiez quotidiennement l'état de la germination et de l'humidité. Si vous employez des câbles chauffants, portez encore plus d'attention au niveau d'humidité.

Si les nouvelles pousses commencent à tomber, donnez-leur un traitement au fongicide. Si elles sont longues et chétives, augmentez le niveau de lumière petit à petit. Les plantes ont besoin de temps pour s'adapter à de nouvelles conditions, surtout si elles sont jeunes. Intensifiez donc la lumière doucement, en déplaçant les plantules d'une fenêtre située au nord vers une fenêtre à l'est pour deux jours, puis de l'est à une fenêtre donnant au sud, etc.

Les deux premières feuilles germinales à apparaître (et dont la forme s'apparente à deux larmes) se nomment cotylédons. Une vraie feuille poussera entre elles et prendra la forme caractéristique des feuilles de l'espèce. Une fois ce processus de croissance terminé, les plantules sont prêtes à être empotées.

## Bulbes, cormus et tubercules

Ces termes peuvent sembler bien loin du jardinage! De plus, leur aspect ne laisse aucunement présager les magnifiques fleurs qui en découleront... Le bulbe ressemble à un sablier à cause du sable à sa partie inférieure. Le tubercule a l'air d'un objet écrasé par un marteau. Pour sa part, le cormus fait penser à une boule de tourbe dans laquelle on aurait inséré un pouce; il est concave en haut et convexe en bas.

Les petits bulbes et tubercules non parvenus à maturité se nomment bulbilles; les petits cormus, eux, prennent le nom de caïeux.

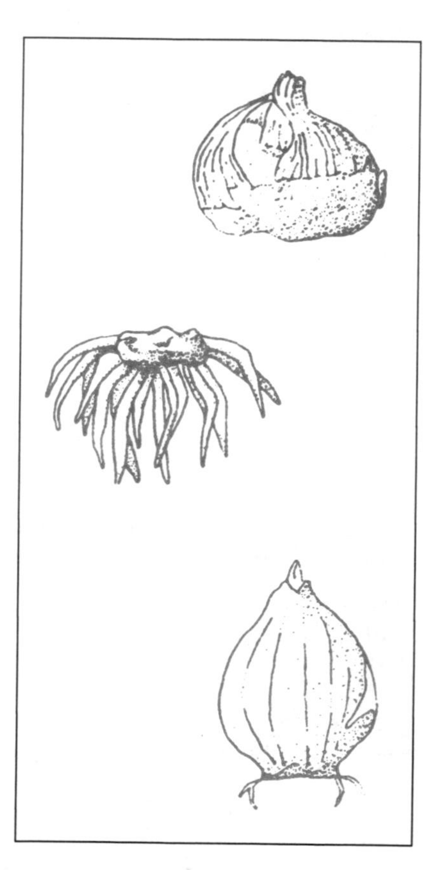

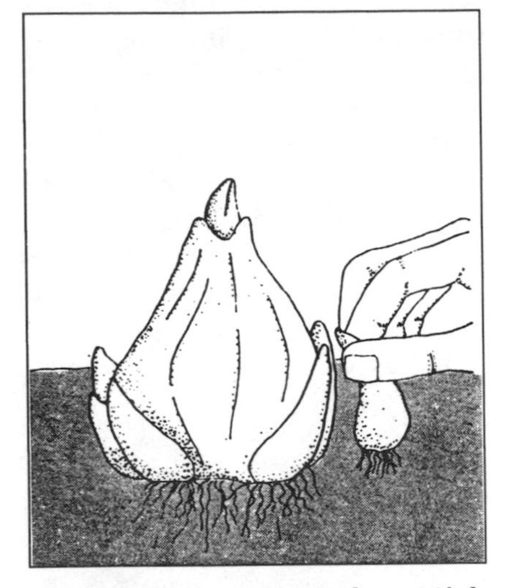

*Les bulbilles doivent avoir la moitié de la taille d'un bulbe adulte pour que le forçage à l'intérieur réussisse.*

*Les bulbes.* Les bulbes peuvent provenir de votre propre jardin de fleurs. Lorsque vous bêchez dans votre jardin à l'automne, surveillez les bulbilles. Pour vous assurer des fleurs la première année, ne choisissez que les plus gros (ils doivent avoir au moins la moitié de la taille d'un bulbe adulte). Les plus petits exigeraient au moins une ou deux saisons pour fleurir, alors mettez-les de côté dans un coin de votre jardin jusqu'à ce qu'ils atteignent une taille suffisante. Les bulbes que vous aurez sélectionnés pour la maison doivent avoir l'impression d'avoir déjà hiberné tout l'hiver. Toutefois, la plupart des centres de jardinage vendent des bulbes qui ont subi le processus de stratification (fait pendant l'hibernation). L'information sera écrite sur l'emballage.

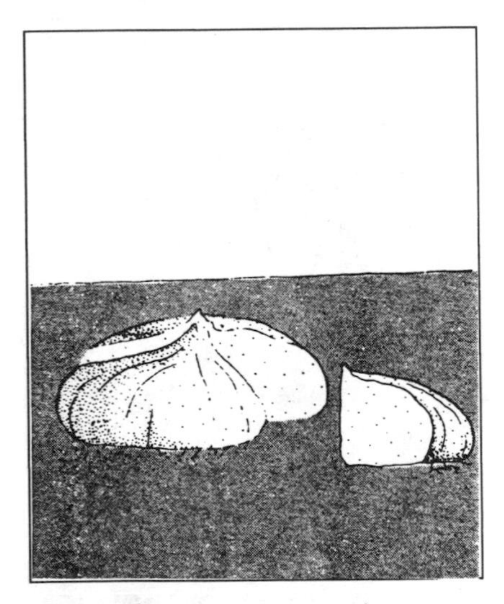

*Divisez les cormus en sections, vous assurant que chacune d'elles possède un «oeil».*

*Les cormus.* On peut aussi soutirer les cormus de son jardin, après que les gelées ont tué le haut du plant. Il est possible de poursuivre leur développement à l'intérieur de la maison, mais, encore une fois, il faut choisir les plus gros. On peut couper les cormus en sections, comme pour des pommes de terre, en prenant soin de laisser un oeil à chaque morceau. Saupoudrez les parties coupées avec un fongicide/insecticide afin de minimiser les risques de maladies. Au contraire des bulbes de tulipes, les cormus n'ont pas besoin d'être stratifiés. Toutefois, s'ils proviennent du jardin, ils doivent reposer pendant environ six semaines dans de la tourbe sèche avant d'être plantés. Les cormus vendus dans les centres de jardinage, et empaquetés dans de la tourbe ou des copeaux de bois, sont prêts à être plantés.

*Les tubercules.* Vous pouvez diviser en sections les tubercules que vous bêchez dans votre jardin après les premières gelées. Assurez-vous que chaque section contient des pousses de tiges; débarrassez-vous de celles qui sont molles ou trouées par des insectes. Tout comme les cormus, ils ne requièrent pas de stratification, mais exigent une période de repos.

## Matériaux nécessaires

*Le mélange terreux.* Il y a des exceptions mais, dans la plupart des cas, le mélange terreux pour bulbes, cormus et tubercules ne fait que servir de support. La majorité des matières nutritives requises se trouvent déjà dans le bulbe. Vous pouvez donc ajouter du sable ou du gravillon (jusqu'à un tiers du volume total) au mélange terreux. Certaines plantes bulbeuses, comme le narcisse, peuvent pousser dans un récipient rempli entièrement de gravillon et d'eau.

*Les pots.* Pour les bulbes de tulipes et de jacinthes, par exemple, les pots larges et peu profonds sont les meilleurs. Si vous laissez pousser les bulbes de narcisse dans l'eau, les trous de drainage ne seront évidemment pas nécessaires. Un de mes amis possède un récipient de céramique mesurant environ 25 cm de diamètre sur 5 cm de profondeur; c'est parfait pour les narcisses. Les pots et les bacs pour

*Recouvrez les côtés coupés des bulbes d'une poudre fongicide/insecticide pour prévenir les maladies.*

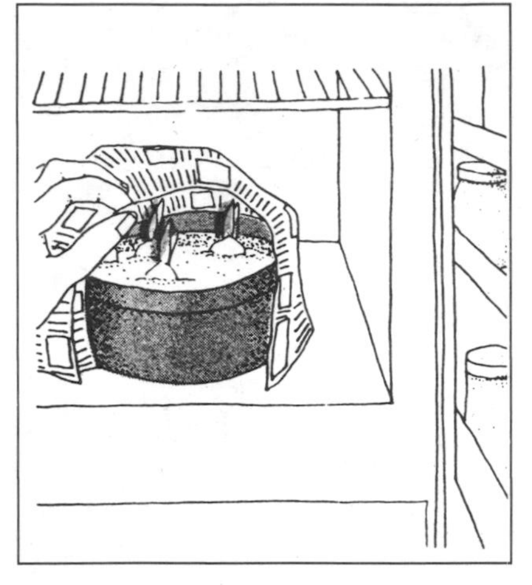

*Plantez les bulbes de façon à ce que le tiers supérieur soit hors du mélange terreux.*

bulbes et tubercules doivent pouvoir contenir, habituellement, entre 10 et 15 cm de profondeur de mélange terreux, permettant ainsi aux racines de prendre place. Il doit y avoir 5 cm de libre entre la surface du mélange et le bord supérieur du pot.

*Le couteau.* Comme pour tout outil dont le but est de couper, le couteau doit être bien aiguisé. Pour diviser les bulbes et les tubercules, il doit être aussi tranchant qu'une lame de rasoir. Sinon, il risque de les déchirer et d'endommager plusieurs couches, laissant les sections plus vulnérables aux maladies.

**Méthode.** Tranchez les bulbes, les cormus et les tubercules tel qu'il est montré dans les illustrations; recouvrez les parties coupées avec de la poudre fongicide. Attendez qu'elles soient sèches au toucher avant de les laisser reposer dans de la tourbe ou de les placer dans le mélange terreux.

On doit enfouir aux deux tiers dans la terre les bulbes de jacinthe et d'amaryllis, puis les arroser généreusement. Tous les autres bulbes doivent être entièrement recouverts de mélange; par exemple, si un cormus de crocus mesure environ deux centimètres, il doit être planté à deux centimètres de profondeur de mélange terreux. Déposez le contenant dans un endroit sombre et frais et vérifiez régulièrement l'état de la croissance et le niveau d'humidité. Lorsque apparaissent environ 2,5 cm de pousses vertes sur les bulbes, déplacez le pot dans un lit chaud et ensoleillé.

Les bulbes qui requièrent une étape de stratification doivent être laissés pendant deux mois dans un endroit dont la température est près du point de congélation (environ 4° C). Plusieurs emplacements sont possibles: un garage non chauffé; un trou dans votre jardin, recouvert de feuilles ou d'un autre paillis léger; la tablette du bas de votre réfrigérateur, etc. Personnellement, j'utilise des câbles chauffants pour la stratification de bulbes à l'extérieur. Il faut vérifier chaque semaine le niveau d'humidité du mélange terreux.

Après huit ou dix semaines de repos, déposez les pots dans un lieu chaud et ensoleillé. Gardez le mélange terreux humide. Lorsque les bourgeons sont sur le point de fleurir, transportez les pots dans un coin plus frais et à l'abri des rayons du soleil; ainsi, les fleurs dureront plus longtemps. Remisez, à des intervalles de deux semaines, quelques pots à la fois, dans un endroit frais; cela vous permettra d'avoir continuellement des fleurs pendant l'hiver.

Il faut recouvrir les cormus et les tubercules de six ou sept centimètres de mélange terreux toujours humide. Placez-les dans un endroit sombre jusqu'à ce que les pousses apparaissent. Quand cela se produit, vous savez alors que les racines se sont développées et vous pouvez mettre les plantes dans un endroit clair et chaud pour qu'elles fleurissent. Une fois que les fleurs ont poussé, déposez les pots dans un endroit plus frais et à l'abri des rayons du soleil.

*Lorsque la croissance de la partie extérieure recommence, apportez la plante dans un endroit chaud et ensoleillé.*

*Les pousses, tout comme les chatons, ne doivent pas être séparées de leur mère trop tôt.*

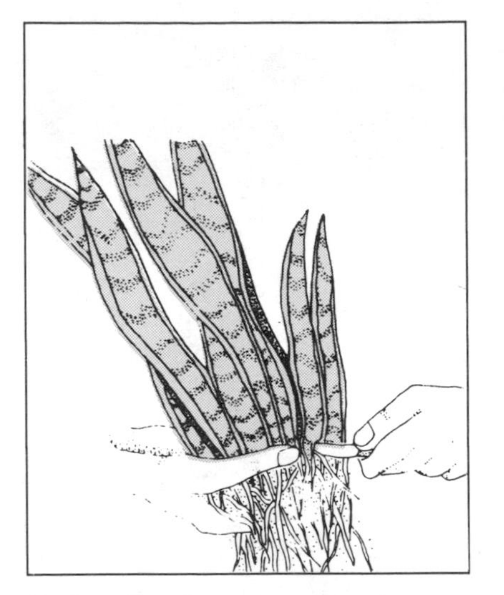

*Retirez le rejeton en coupant ou en arrachant les racines.*

*Laissez les rejetons reliés à la tige principale jusqu'à ce qu'ils commencent à se développer.*

## Les rejetons

C'est la méthode la plus employée pour la multiplication de plantes vivaces (cactées, broméliacées, par exemple) et probablement la plus facile et la plus rapide. D'une certaine façon, vous ne faites qu'aider les plantes à accomplir ce qu'elles doivent faire. Cette méthode renforce aussi les relations de bon voisinage. Je suis certain qu'il y a, près de chez vous, des voisins qui s'échangent des rejetons de leur plante araignée ! Toutes les maisonnées de ma parenté possèdent une plante issue plus ou moins directement de la sansevière de ma mère. Malheureusement, toutes les plantes ne fournissent pas des rejetons permettant de tels échanges.

Tels des chatons, qui demandent l'attention de leur mère pendant six semaines avant d'aller dans un autre foyer, les rejetons de plantes ne devraient pas être coupés trop tôt de leur mère. Ils devraient avoir la *moitié de la taille de leur mère* avant d'en être séparés. Toutefois, cela ne concerne pas les plantes araignées ni les lierres germaniques, parce que leurs rejetons ne sont pas directement reliés aux racines de la plante mère. Ils peuvent être empotés bien avant d'avoir atteint la moitié de sa taille.

**Matériaux nécessaires**
*Le mélange terreux.* La préparation de tourbe et de vermiculite dont je vous ai parlé préalablement sera très bien. Vous pouvez aussi prendre n'importe quel mélange terreux léger et bien stérilisé.

*Les pots.* Ils devraient être juste assez larges et profonds pour contenir environ 2,5 cm de mélange terreux autour de la motte de racines. S'il y a trop de mélange autour des racines, l'excédent peut devenir trop acide.

*Le couteau.* Affûtez celui que vous avez utilisé pour diviser les bulbes en sections. Comme toujours, plus il est aiguisé, mieux c'est.

**Méthode.** Séparez le rejeton de la plante mère en coupant ou en arrachant ses racines. Je sais que le terme «arracher» peut paraître ici violent, mais avec certaines plantes c'est le seul moyen d'obtenir les rejetons. Pour vous faciliter la tâche, arrosez la plante, enlevez-la du pot et secouez la terre de la motte des racines afin de voir l'intersection entre la mère et le rejeton.

Rempotez ce dernier aussi profondément qu'avant dans un mélange terreux humide et placez-le dans un endroit frais et sombre. Gardez la terre humide

*Entaillez toujours vers le haut à 15 cm de la première feuille inférieure pour réussir le marcottage aérien.*

et bassinez occasionnellement le rejeton pour ne pas qu'il se flétrisse. S'il ne possède que quelques racines, entourez le pot et la plante d'un sac de plastique afin de garder le taux d'humidité élevé partout; autrement, les feuilles vont évaporer plus d'eau que les racines peuvent en puiser. Lorsque cela arrive, les feuilles se flétrissent.

Pour empoter le rejeton d'une plante araignée, placez-le dans un mélange terreux humide sans le séparer de la tige qui le relie à la mère. Attendez que la croissance de la plantule débute et que les racines soient suffisamment développées pour la soutenir avant de couper la tige principale.

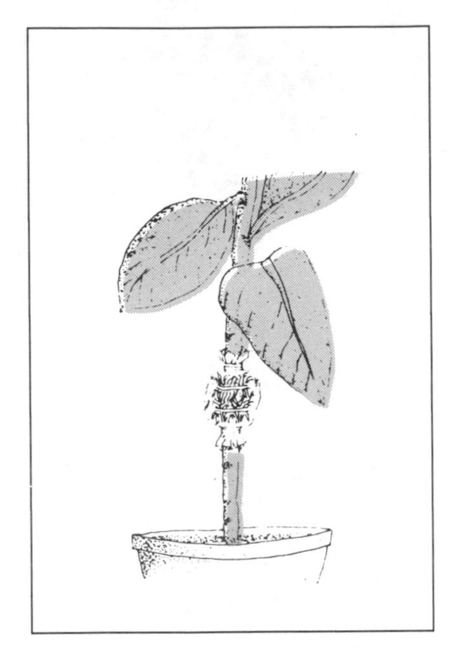

*Quand vous apercevez des racines à travers la feuille de plastique, vous pouvez couper la tige sous l'entaille originale et rempoter la nouvelle plante.*

**Pourquoi les plantes ont-elles besoin de lumière?**

La lumière est indispensable pour que la plante puisse transformer l'eau et les matières nutritives en énergie utilisable. C'est cette énergie qui permet la croissance de la plante et la garde en vie.

Aussitôt que la partie supérieure de la plante se met à croître, vous pouvez enlever le sac de plastique et, graduellement, déplacer le pot vers un lieu plus éclairé. Quand la plante reçoit la quantité de lumière appropriée, vous pouvez réduire le taux d'arrosage et d'humidité et la traiter comme une plante adulte.

## Le marcottage

Plusieurs personnes ont remplacé leur arbre ombrelle, leur caoutchouc, leur croton ou d'autres plantes à tiges vigoureuses parce qu'elles n'avaient plus que quelques feuilles au bout. Toutefois, ces plantes auraient pu être sauvées avec un peu de travail et quelques semaines de croissance. Leurs propriétaires auraient alors eu des plantes bien garnies de feuilles à une fraction du prix de l'achat d'une nouvelle. Pour redonner un bel aspect à ces plantes tropicales, il suffit de faire du marcottage aérien.

D'autre part, le marcottage au sol est un moyen efficace d'augmenter le nombre de certaines plantes rampantes ou grimpantes comme le philodendron, l'arum grimpant ou le lierre. Le principe pour le marcottage au sol et pour le marcottage aérien est le même: vous devez couper une partie de la circulation de matières nutritives allant des feuilles aux racines, pour entraîner le forçage de nouvelles racines à l'endroit de la coupure. Toutefois, il y a différence dans les méthodes.

Plusieurs plantes réagissent très bien au marcottage aérien, comme le lierre arborescent, le dieffenbachia, le caoutchouc, l'hibiscus, le philodendron... enfin toute plante à tige de bois. Avec certaines d'entre elles, vous pouvez essayer d'obtenir de nouvelles racines en coupant tout simplement la tige à quelques centimètres des feuilles; cependant, le marcottage aérien est plus sûr parce que la plante est soutenue par ses vieilles racines à mesure que les nouvelles se développent. Le marcottage au sol convient aux plantes rampantes, grimpantes, ou ayant des tiges assez flexibles pour se plier jusqu'au sol sans se casser.

**Matériaux nécessaires**

*De la tourbe de sphaigne.* Il vous faut une bonne poignée de tourbe de sphaigne. Ne pas lui substituer de la tourbe ordinaire.

*Objets divers.* Un bâtonnet (par exemple, une allumette de bois ou un cure-dent), une feuille de plastique, du ruban isolant étanche, un pot, du mélange terreux, un sac de plastique.

*Sans retirer la tige rampante de la plante mère, vous pouvez partir de nouvelles plantes par la technique du marcottage.*

**Méthodes**

*Le marcottage aérien.* Sur la tige, à environ 15 cm des feuilles et sous un noeud, faites une incision vers le haut dans un angle de 45° et d'une profondeur du tiers de la tige. Maintenant, vous voyez pourquoi le couteau doit être bien aiguisé!

Tenez l'incision ouverte à l'aide d'un bâtonnet, saupoudrez l'intérieur d'une poudre d'hormones, puis enlevez le bâtonnet. Entourez l'entaille de tourbe de sphaigne humide que vous maintiendrez en place en l'enveloppant d'une feuille de plastique attachée à la tige par du ruban.

Laissez baigner la sphaigne dans l'eau toute la nuit précédant l'opération.

Puis, attendez. Pour les quelques semaines qui suivent, vous n'aurez rien d'autre à faire que de garder la sphaigne humide en y ajoutant de l'eau, selon les besoins.

Lorsque vous apercevez des racines poussant à travers la tourbe, enlevez la feuille de plastique et le ruban adhésif. Coupez la tige principale à environ 2,5 cm *sous la première entaille.* Placez les nouvelles racines et la sphaigne dans un pot; ajoutez-y du mélange terreux et arrosez généreusement. N'ajoutez pas d'engrais à cette étape.

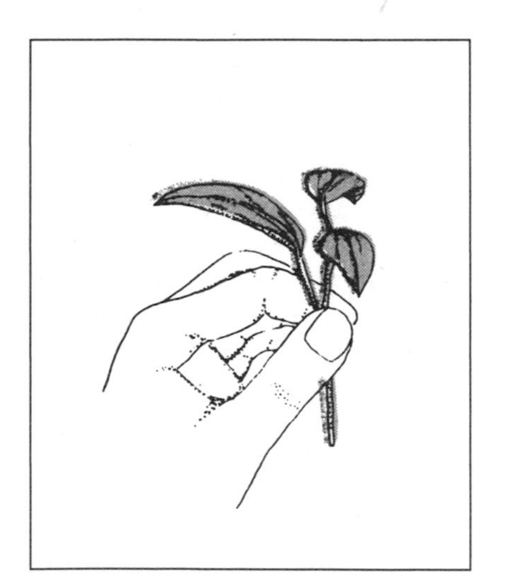

*Ne gardez que les trois ou quatre feuilles supérieures de la bouture.*

Il est fort probable que vous ayez à traiter la plante comme une nouvelle pousse pour un certain temps: voyez à ce que le mélange terreux reste bien humide, bassinez les feuilles pour ne pas qu'elles se flétrissent ou enveloppez la plante d'un sac de plastique pour y enfermer l'humidité. Aussitôt que vous apercevez de nouvelles feuilles, enlevez le sac de plastique et appliquez une faible solution d'engrais soluble. Puis, transportez le pot, une journée à la fois, vers un endroit de plus en plus ensoleillé.

*Le marcottage au sol.* Cette méthode est beaucoup plus simple. Éraflez le côté interne de la tige rampante. Pour ce faire, vous pouvez la frotter avec du papier émeri ou un couteau. Puis, déposez la tige blessée dans un pot contenant du mélange à enracinement humide. Enfoncez-la à une profondeur d'environ 2,5 cm et maintenez-la en place grâce à un petit arceau en fil de fer ou une épingle à cheveux. Ne séparez pas cette tige de la plante mère.

Le mélange terreux doit constamment être humide. Dès que des feuilles surgissent, coupez la tige de la plante mère. Ensuite, transportez la plante dans un endroit plus éclairé et ajoutez-y une faible solution d'engrais.

C'est tellement facile et amusant que vous devriez le faire avec vos enfants !

## Le bouturage

Le bouturage est sans doute la méthode de multiplication la plus employée pour les plantes d'intérieur, spécialement les géraniums. Cette technique permet, entre autres, d'échanger facilement des plantes entre voisins. Le bouturage se fait surtout sur des plantes d'intérieur dont la tige est molle. Toutefois, on peut aussi l'utiliser sur des plantes à tiges ligneuses. La méthode reste la même dans les deux cas, mais le temps de bouturage des tiges ligneuses est beaucoup plus long.

Cette technique est particulièrement utile pour sauver les violettes africaines, les géraniums ou les bégonias renversés par le chat, les enfants ou... vous-même !

### Matériaux nécessaires

*Des tiges et des feuilles.* Pour essayer les techniques de bouturage, vous pouvez prendre la pousse terminale de n'importe quelle plante. La pousse ne doit pas être toute jeune (soit encore molle et non entièrement développée), ni trop mature (soit très dure). Vous devez choisir une pousse qui se situe entre ces deux étapes de développement. Il est aussi possible de faire du bouturage avec des feuilles de plantes, comme les violettes africaines.

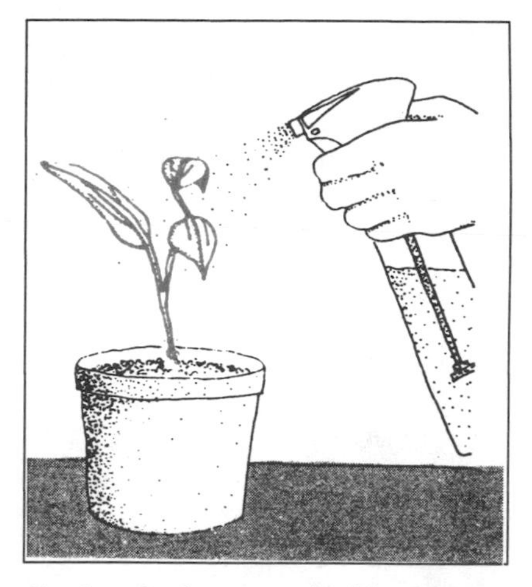

*Bassinez les boutures régulièrement.*

*Un couteau.* N'utilisez qu'un couteau très tranchant afin d'obtenir des coupures nettes.

*Une substance à enracinement.* Cela peut être de l'eau, un mélange à enracinement non terreux ou une préparation contenant des parts égales de tourbe, préalablement trempée dans de l'eau chaude, et de sable grossier. Dans ce dernier cas, il faut stériliser le mélange en le plaçant une demi-heure au four à 93° C (200° F) dans une casserole peu profonde.

*Les pots.* Vous pouvez utiliser n'importe quel contenant possédant un système de drainage adéquat: plateau à semis, pot d'argile, boîte de fer-blanc. Toutefois, il doit être stérilisé et nettoyé de tout résidu salin et de moisissure; pour ce, brossez-le vigoureusement avec du vinaigre.

*Objets divers.* Vous aurez aussi besoin d'un sac de plastique, de poudre d'hormones et de fongicide.

**Méthode.** Arrachez les feuilles inférieures de la tige, ne laissant que les trois ou quatre feuilles du bout, et enlevez les fleurs et les bourgeons. Puis, coupez la bouture sous un noeud de feuille afin d'avoir une bouture terminale mesurant environ 6 ou 7 cm de long. Trempez la base de la bouture dans l'eau, puis dans une poudre d'hormones favorisant l'enracinement et attendez que la base soit sèche au toucher. Ensuite, faites un trou dans le mélange à enracinement et glissez-y la bouture jusqu'au bas de la feuille inférieure. Ramenez le mélange avec les doigts, ajoutez de l'eau, et laissez drainer l'excédent.

*Des petites roches gardent les boutures de feuilles en contact avec le mélange terreux.*

Bassinez les boutures régulièrement avec de l'eau tiède pour éviter qu'elles ne se flétrissent ou recouvrez le contenant d'un sac de plastique et placez-le dans un endroit frais et sombre. Les boutures ne peuvent prendre qu'une petite quantité d'eau par la tige, car il n'y a pas de racines. Donc, si les feuilles perdent plus d'eau par évaporation que la tige peut leur en fournir, la bouture meurt. C'est pourquoi *il est important de couper les feuilles, les fleurs et les bourgeons floraux,* puisqu'ils drainent vite l'eau. L'air ambiant doit aussi être frais et humide, et la lumière doit être faible. L'air sec, les températures élevées et la lumière vive augmentent le degré de transpiration des feuilles.

D'autre part, s'il y a trop d'humidité, les boutures peuvent pourrir. Par conséquent, si vous les recouvrez d'un sac de plastique, retournez ce dernier entièrement chaque fois que vous vérifiez le mélange afin d'en éliminer la condensation d'eau.

La reprise de la croissance indique que les racines se sont développées; vous pouvez alors retirer le sac. Les boutures se trouvant dans les plateaux à semis ou dans le sable devraient être empotées dans des pots et du mélange terreux. Cela fait, amenez graduellement les plantes à la lumière, une journée à la fois.

Les boutures qui forment facilement des racines, comme celles provenant du philodendron, de l'arum grimpant ou de l'impatiente, peuvent être placées dans l'eau. Lorsque les racines mesurent à peu près 4 cm, il est temps d'empoter les boutures.

Cette méthode, quelque peu modifiée, peut aussi servir dans la multiplication des plantes à feuilles charnues, comme les bégonias tubéreux. Coupez la feuille à plusieurs endroits à travers les veines et placez-la sur un mélange terreux humide. Si nécessaire, ajoutez du poids à la feuille à l'aide de petites roches ou de quelque chose du genre, et gardez le mélange humide. De nouvelles pousses apparaîtront aux endroits où vous avez coupé les veines. Lorsqu'elles ont atteint environ 2,5 cm de haut, retirez-les doucement et rempotez-les.

## Empotage

Dans notre pépinière, nous employons huit des meilleurs pépiniéristes que je connaisse. Ensemble, ils comptabilisent environ 300 années d'expérience dans le domaine. Toutefois, quand vient le temps d'empoter des jeunes pousses ou des boutures, ces professionnels très compétents deviennent parfois

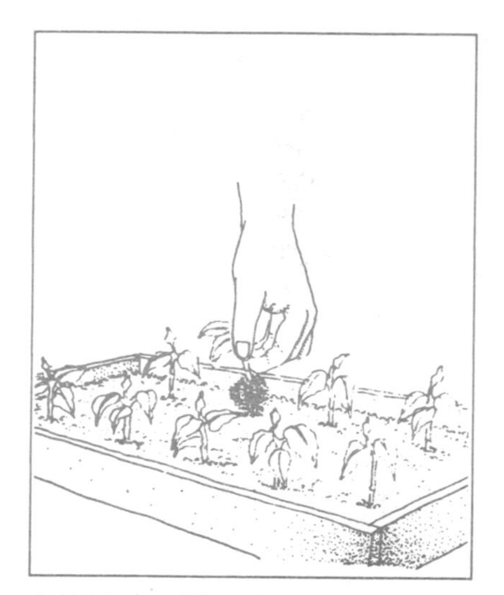

*Aussitôt que débute la croissance à l'extérieur, les pousses sont prêtes pour l'empotage.*

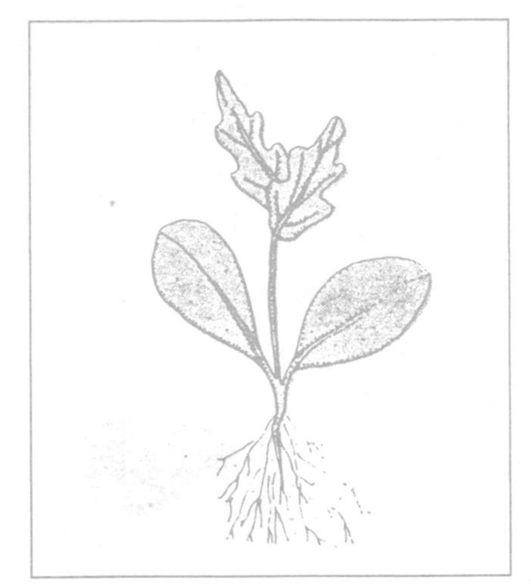

*Les premières feuilles à apparaître se nomment cotylédons. La première vraie feuille poussera entre elles et aura l'aspect caractéristique des feuilles de cette plante.*

*Soulevez doucement les pousses en les tenant par leurs cotylédons.*

maladroits malgré eux. Moi-même, je me sens comme si je portais des gants de boxe quand j'effectue cette tâche parce que les jeunes pousses sont quelquefois si petites et si fragiles que je suis certain de les abîmer.

**Matériaux nécessaires**

*Les contenants.* Pour les plantules, vous pouvez utiliser des cubes de tourbe ou des petits pots de tourbe avec le même mélange recommandé pour la germination des graines. Pour les plantes plus grosses, comme celles qui ont subi un marcottage aérien, vous avez besoin de pots propres et secs, assez larges pour contenir les racines et environ 3 cm de nouveau mélange terreux autour d'elles.

*Un déplantoir ou une cuillère.* L'outil choisi doit être effilé et assez petit pour soulever du mélange une plantule à la fois.

*Le mélange terreux.* Pour les jeunes pousses, vous devez employer du mélange à enracinement. Pour les plantes plus grosses, n'importe quel mélange terreux fait l'affaire. Les deux doivent être bien humectés puis drainés, spécialement les cubes de tourbe ou les mélanges à base de tourbe.

*Un sac de plastique transparent.* Entourez d'un sac de plastique transparent les contenants et les plantes nouvellement empotées. Ce dispositif crée une sorte de serre apte à garder l'humidité jusqu'à ce que les racines s'habituent à leur nouvel environnement.

**Méthode.** La meilleure période pour empoter les jeunes pousses survient quand les *vraies* premières feuilles se sont développées. Dans la plupart des cas, les premières feuilles à sortir (les cotylédons) ressemblent à de longues larmes. Elles sont parfois un peu plus épaisses que les vraies feuilles. Habituellement, on les retrouve au même niveau de la tige, l'une en face de l'autre. Ensuite, une autre feuille fait son apparition: la première vraie feuille. Lorsque cette dernière est bien développée, la jeune pousse est prête à être empotée.

Les boutures, pour leur part, peuvent être empotées quand la croissance extérieure de la plante commence. Pendant un certain temps, vous pouvez avoir l'impression que la bouture est en période de repos, mais dès que les racines sont suffisamment développées, la croissance débute.

Lors de l'empotage, il est primordial de réduire au maximum

*Lorsque vous empotez des jeunes pousses ou des boutures, gardez autant de mélange terreux que possible autour de la motte de racines.*

*Quand l'eau sort du pot aussi vite qu'elle y est entrée, c'est le moment de rempoter la plante.*

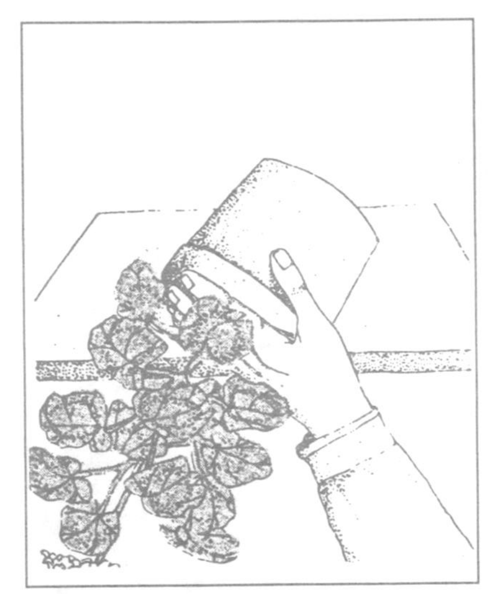

*Frappez d'un coup sec le pot sur le bord de la table pour amollir le mélange terreux.*

*Avant de rempoter la plante, les racines doivent être démêlées.*

les mouvements brusques afin d'affecter le moins possible les racines. Avant de commencer, assurez-vous que les pots sont prêts et remplis du bon mélange terreux humide. De cette façon, vous évitez que la pousse passe un moment hors terre pendant que vous cherchez un pot apte à la recevoir !

C'est au moment de déterrer du plateau de départ les jeunes pousses que mes mains se transforment en gants de boxe... D'après moi, la meilleure méthode consiste à prendre doucement la plantule par l'un des cotylédons (et non par l'une des vraies feuilles, encore trop fragiles), puis à tirer la pousse à l'extérieur du mélange à l'aide d'un bâtonnet. Reposez-la immédiatement dans un trou du mélange terreux du nouveau pot, jusqu'à la hauteur des cotylédons, et replacez doucement le mélange autour d'elle. Vous pouvez être un peu plus expéditif avec les racines de boutures parce qu'il y en a au moins quelques-unes qui sont assez matures pour encaisser une manipulation plus vigoureuse. Toutefois, pour minimiser les coups, prenez autant de mélange que vous pouvez autour de la motte de racines et placez cette dernière à l'intérieur du nouveau pot dans un trou de sa taille. Si vous essayez de la placer dans un trou plus petit, vous pourrez endommager les filaments. Ces poils presque invisibles attachés aux racines servent à prendre l'eau et à dissoudre les matières nutritives utilisées par la plante. Les filaments sont extrêmement fragiles, et si trop d'entre eux sont abîmés, les racines ne seront pas capables d'absorber assez d'humidité pour maintenir la plante en vie.

Une fois que vous avez replacé du mélange terreux autour des racines, passez à l'étape de l'arrosage. Une fois cette besogne accomplie, enlevez l'excédent d'eau et posez un sac de plastique autour de la plante. Déposez cette dernière dans un endroit frais, à l'abri de la lumière directe du soleil. Veillez à ce que le mélange terreux soit toujours humide — mais pas trop — jusqu'à ce que la partie extérieure de la plante recommence à croître. Éliminez toute condensation à l'intérieur du sac et laissez sécher la surface du mélange durant la soirée afin de minimiser les risques de pourriture.

Quand le début de la croissance survient, cela signifie que les racines se sont développées et qu'elles ont survécu au choc de l'empotage. Vous pouvez alors amener la nouvelle plante à un endroit où l'ensoleillement lui convient. Si la plante se flétrit par la chaleur du jour, replacez-la dans un endroit plus sombre et bassinez les feuilles.

*Si vous taillez les racines, taillez proportionnellement la partie supérieure de la plante.*

## Rempotage

À mon avis, plusieurs personnes rempotent leurs plantes plus souvent que nécessaire. Toutefois, lorsque les racines commencent à pousser du mélange terreux hors du pot, ou que l'eau que vous versez en ressort aussi vite, ou encore que les racines sortent par les trous de drainage, c'est signe qu'il faut rempoter. Le meilleur moment pour effectuer cette tâche se situe à la période de dormance de la plante, habituellement en hiver.

**Matériaux nécessaires**
*Un pot.* Le nouveau pot doit avoir environ 5 cm de plus que l'ancien. Assurez-vous qu'il est propre et sec.

*Des ciseaux.* Ils doivent être assez aiguisés pour couper convenablement les racines qui en ont besoin.

*Un bâtonnet.* N'importe quel bâtonnet fera l'affaire (par exemple, une baguette japonaise, un fin tuteur ou même une vieille règle de bois).

**Méthode.** Arrosez la plante que vous désirez rempoter et, pendant que le drainage de l'excédent d'eau s'effectue, mettez environ 2,5 cm de mélange terreux au fond du nouveau pot. Je ne crois pas qu'il soit nécessaire de placer du gravillon ou un tesson sur le trou de drainage; l'humidité dans le mélange et, plus tard, les racines vont garder le mélange terreux à l'intérieur du pot.

Pour dépoter, placez votre main sur la surface humide du mélange terreux de la plante, la tige entre vos doigts, et retournez le pot à l'envers. La motte de racines en sortira probablement facilement. Toutefois, si elle y demeure, frappez d'un petit coup sec le pot contre la table. Si cette méthode ne fonctionne pas, vous devrez peut-être alors briser ou couper le pot pour en sortir la plante.

Ensuite, à l'aide d'un bâtonnet ou d'une fourchette, démêlez certaines racines de la motte — surtout celles qui sont enroulées et/ou tordues — et déposez la plante dans le nouveau pot. Veillez à laisser à peu près 2,5 cm entre la surface du mélange et le bord du pot afin de faciliter l'arrosage.

Ajoutez du mélange terreux autour de la motte de racines, l'entassant fermement avec un bâtonnet, puis arrosez généreusement. C'est tout ce qu'il y a à faire, à moins que vous vouliez rempoter votre plante dans un pot d'égale grandeur. Dans ce cas, la méthode reste la même, mais il y a quelques étapes en plus.

Quand vous retirez la plante de l'ancien pot, coupez les racines d'environ 2,5 cm avant de les placer dans le nouveau pot. Il faut tailler aussi le dessus de la plante (environ 2,5 cm) afin que les racines plus petites aient un poids proportionnel à soutenir.

Pendant la période d'adaptation de la plante à son nouveau contenant, gardez-la dans un endroit légèrement sombre et bassinez les feuilles pour ne pas qu'elles se flétrissent.

# Chapitre 3

# Techniques

# Techniques

Il existe certaines autres techniques que vous pouvez maîtriser une fois que vous connaissez les bases du jardinage. Le chapitre 3 est donc consacré à ces techniques soit, la culture hydroponique, les aménagements intérieurs et l'horaire des soins. Ce dernier aspect peut influencer énormément la vie de vos plantes, alors portez une attention toute spéciale au *moment où* vous devez faire *quoi* à *quelle plante*.

## La culture hydroponique

Dans les années 70, la culture hydroponique était considérée comme une découverte de l'ère technologique. Toutefois, bien qu'elle ait subi quelques récentes améliorations, cette sorte de culture remonte à des centaines d'années. Déjà vers la fin du XVIIe siècle, John Woodward, membre de la Royal Society d'Angleterre, cultivait des plantes dans de l'eau à laquelle il ajoutait de la terre. Mais en fait, c'est Mère Nature qui, la première, a utilisé cette technique : les lentilles d'eau, par exemple, poussent sans terre, flottant à la surface des étangs et des rivières calmes et tirant leur nourriture de l'eau.

Ce procédé n'a acquis le nom d'hydroponique qu'au cours des années 1920 (*hydro* signifie eau et *ponus* signifie travail). C'est à ce moment que F. Gericke, de l'Université de Californie, a fait pousser d'énormes plants de tomates en utilisant des matières nutritives dissoutes dans l'eau.

Aujourd'hui, on emploie ce genre de culture pour produire de la laitue fraîche en Ontario méridionale durant l'hiver. Pour leur part, les Israélites l'utilisent pour cultiver dans les endroits désertiques, qui seraient autrement infertiles. La culture hydroponique sert aussi à la germination rapide des graines de gazon et à la maturation de ces herbes qui seront ensuite de la nourriture pour les animaux de zoo. Bien que l'utilisation contemporaine de cette culture soit d'abord et avant tout commerciale, il vous est possible de faire pousser n'importe quelle plante d'intérieur de cette façon et d'éviter ainsi toutes les étapes salissantes de la culture avec mélange terreux.

**Matériaux nécessaires**

*Des contenants étanches.* Procurez-vous un bac en plastique ou n'importe quel contenant assez large et profond pour convenir à la plante que vous voulez faire pousser. Idéalement, il devrait avoir un trou au bas sur le côté pour permettre la circulation de solutions nutritives, mais vous pouvez aussi utiliser un siphon.

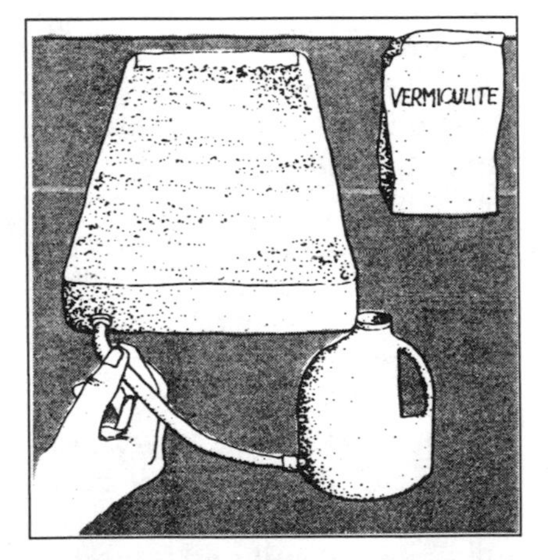


*Le récipient de matières nutritives est relié au bac de mélange terreux par un boyau.*

*Un contenant pour les matières nutritives.* Une bouteille d'eau de javel est idéale pour servir de récipient aux matières nutritives. Bien sûr, il faut la laver soigneusement avant de vous en servir. Toute autre bouteille opaque fera aussi l'affaire. Encore une fois, ce contenant doit avoir un trou au bas d'un des côtés.

*Un tube.* Le tube permet de siphonner la solution nutritive vers l'intérieur et l'extérieur du bac à plante. Il vous faut aussi des oeillets en caoutchouc pour que les trous soient étanches.

*Des matières inertes.* Cela peut être n'importe quelle matière inerte comme du gravillon, de la perlite, de la vermiculite ou des billes d'argile expansée. Pour les grosses plantes lourdes, prenez l'agrégat le plus lourd (comme le gravillon) afin d'avoir un support adéquat.

*L'eau.* Bien sûr, l'eau est ici essentielle et facile à trouver. Cependant, veillez à ce qu'elle ne contienne pas trop de chlore, comme l'eau de plusieurs villes, et à ce que le taux d'acidité concorde avec les besoins de vos plantes. Les azalées, par exemple, exigent un pH de 4,5 à 5,5, mais les différentes sortes de choux, elles, ont besoin d'un pH de 6,5 à 7,0.

*Des matières nutritives.* Quoique vous puissiez faire vos propres mélanges nutritifs, il est beaucoup plus facile d'utiliser les poudres de matières nutritives déjà préparées. Dans ce cas, tout ce qui vous reste à faire c'est de les dissoudre dans l'eau selon le mode d'emploi indiqué sur la boîte.

*Des plantes ou des graines.* Toutes les sortes de plantes peuvent pousser avec cette méthode pourvu que vous ayez assez de place chez vous. Il est possible de transposer des plantes adultes de leur mélange terreux au bassin hydroponique. Cependant, avant de mettre la plante dans le récipient d'eau, vous devez laver *toute* la terre de la motte de racines en prenant soin de ne pas briser les filaments. Il est beaucoup plus facile de transplanter les petites pousses ou les boutures ayant des racines, surtout si elles croissent dans le même mélange d'agrégats que celui que contient le bac hydroponique. Toutefois, la façon vraiment la plus facile de faire ce genre de culture c'est de planter des graines directement dans le bassin hydroponique.

**La méthode.** Il faut au moins 15 cm de mélange inerte dans le fond du bac. Augmentez le volume du mélange pour les grosses plantes. Par exemple, il faut à peu près 30 cm de mélange pour les plants de tomates.

Mélangez, selon le mode d'emploi sur la boîte, les matières nutritives et l'eau dans le contenant réservé à cet effet. Si vous employez l'eau du robinet, ne prenez que l'eau froide puisque l'eau chaude est chauffée par une tige de zinc, ce qui peut ajouter des minéraux non désirés. Ensuite, laissez reposer l'eau jusqu'à ce qu'elle soit à la température de la pièce.

Déposez les plantes, les plantules ou les graines dans le mélange inerte. Les plantes doivent y être enracinées aussi profondément que dans un pot de mélange terreux. Les pousses

*La plupart des plantes requièrent un pH de 6,5.*

*Les plantes transportent en quelque sorte le jardin dans la maison et donnent l'illusion que la pièce est plus grande.*

*Choisissez les plantes non seulement d'après vos besoins mais aussi en fonction de l'environnement.*

doivent être enfouies jusqu'à leurs cotylédons et les graines, à la profondeur recommandée sur le sachet pour un ensemencement à l'extérieur. Placez le boyau d'arrosage dans le contenant à plantes et soulevez la bouteille de solution nutritive jusqu'à ce que le liquide aille à la surface du mélange inerte. Puis, rebaissez la bouteille et laissez la solution revenir dans son contenant. Répétez ce processus deux fois par jour et placez la plante dans un endroit éclairé (dans une fenêtre ou sous une lumière artificielle adéquate). Ensuite, il ne vous reste qu'à regarder votre jardin fleurir!

Il est important de vérifier le pH du mélange nutritif régulièrement, environ une fois par semaine, et de le modifier au besoin. Vous pouvez vous procurer dans une pépinière tout ce qu'il vous faut pour effectuer des tests de pH. Pour la plupart des plantes, le pH doit être de 6,5. Si les tests montrent qu'il est plus élevé, ajoutez-y 1/4 de cuil. à thé de bicarbonate de soude; s'il est plus bas, additionnez-y un peu de vinaigre. En plus des tests, il y a aussi une autre façon de vérifier le niveau de pH: l'observation de la croissance des plantes. Puisque plus d'eau s'évapore que de solution nutritive, ajoutez régulièrement à cette dernière de l'eau de façon à remplir le contenant nutritif. De temps en temps, refaites un nouveau mélange de matières nutritives. De cette manière, vous ne devriez jamais avoir de difficultés à maintenir le bon niveau de pH.

## L'aménagement des plantes d'intérieur

Les décorateurs d'intérieur possèdent souvent une trousse d'urgence en vue des fameux appels au secours du vendredi matin: «Nous donnons une réception demain soir et l'endroit a l'air affreux. S'il vous plaît, aidez-nous!» La plupart de ces trousses sont constituées de plantes. Bien sûr, réaménager les meubles et faire un bon ménage aident grandement, mais les plantes ont une façon toute particulière de résoudre les problèmes de décoration intérieure.

Les plantes créent une transition entre l'extérieur et l'intérieur de la maison. Ainsi, un arrangement de plantes florales devant une fenêtre peut faire paraître la pièce plus grande, comme si elle se continuait dans le jardin extérieur. Les plantes brisent l'austérité des lignes droites, ravivent les coins sans éclat et donnent une allure toute différente à une pièce. Je ne peux vous dire exactement quel genre de plante va à tel endroit parce que nos goûts diffèrent, mais il existe quand même certaines directives sur lesquelles on peut se baser.

Lorsque quelqu'un nous donne une plante, nous lui trouvons tout simplement une place assez éclairée et pouvant la mettre en évidence. Toutefois, les plantes utilisées à des fins de décoration intérieure doivent être placées à un endroit précis pour une raison particulière. D'après moi, l'une des plus grandes erreurs que les gens commettent c'est de choisir des plantes trop petites pour l'effet qu'ils veulent créer. Un petit ficus benjamina (figuier pleureur) situé entre un gros divan et un fauteuil spacieux a l'air

*Les plantes rampantes et suspendues ont besoin de place pour croître à leur aise.*

*Utilisez votre doigt pour vérifier le taux d'humidité.*

complètement perdu. Il faut attendre plusieurs années de croissance pour qu'il produise l'effet voulu. Il serait beaucoup mieux de mettre à sa place un gros ficus ayant des branches dépassant la hauteur du divan.

Un contraste donnera plus de présence à une plante menue. Un petit pot de larmes de bébé aura belle apparence sur une table de salon vitrée, mais un bégonia placé près d'un mur de papier peint fleuri passera inaperçu: seul son pot sera bien en vue! Un ficus fera mieux l'affaire à cet endroit.

En règle générale, les grosses plantes dans les pots volumineux, mais pouvant être déplacées facilement, devraient servir pour leur feuillage. Pour ce qui est des plantes vertes tropicales, il est préférable de mettre en évidence la couleur ou la forme de leurs feuilles plutôt que leurs fleurs. Même celles qui fleurissent, comme les spathiphyllums, sont encore belles sans fleurs. D'autre part, une azalée aura des feuilles mortes et des branches durant sa période de dormance; à ce moment-là, il est mieux de la placer dans un coin caché jusqu'à ce que sa croissance reprenne.

Quand vous aménagez vos plantes, choisissez avec soin celles qui sont lourdes et difficilement transportables. Placez-les à des endroits appropriés et fournissant les bons taux de lumière, de chaleur et d'humidité. Un gardénia aura une allure fantastique dans la baie vitrée de votre hall d'entrée; cependant, un coup de vent froid durant l'hiver peut causer la perte de toutes ses fleurs.

La croissance naturelle est un autre facteur environnemental à prendre en considération. Par exemple, les tiges rampantes devraient avoir suffisamment d'espace pour grimper et s'étendre. Les araignées devraient pouvoir s'étaler et les plantes qui poussent rapidement, avoir assez d'espace pour y être à l'aise ou bien être taillées régulièrement.

La création d'un jardin intérieur constitue un autre excellent moyen de mettre en évidence des plantes. Si vous avez le désir et l'espace requis, vous pouvez aménager un jardin tropical sous un puits de lumière au centre d'une pièce. Les plantes auront comme habitat des pots placés sur du gravillon dans un plateau étanche. Vous pouvez aussi installer des boîtes de gloxinias près d'une baie vitrée. Sur une plus petite échelle, un panier de tourbe de sphaigne rempli de violettes africaines met en valeur ces dernières et leur fournit un meilleur environnement. En gardant la tourbe mouillée, vous augmentez le taux d'humidité et aidez les violettes africaines à se sentir chez elles...

Les arrangements dans un pot peuvent inclure plusieurs variétés de plantes, pourvu qu'elles aient à peu près les mêmes besoins environnementaux. Ainsi, vous auriez beaucoup de difficultés à garder dans un même récipient une plante du genre peperomia et une fougère de Boston parce que cette dernière aime l'humidité et que la première préfère une terre sèche entre les arrosages. Un ficus benjamina (figuier pleureur) et une sansevière n'auraient aucun problème à cohabiter.

Encore un dernier point. Si après avoir essayé plusieurs combinaisons, l'une de vos plantes se trouve forcément dans un endroit qui ne lui convient pas, ou que vous désiriez à tout prix avoir une azalée malgré son aspect repoussant en période de dormance, établissez un système de rotation. Laissez les plantes bien en vue là où vous le vouliez pour un bout de temps, puis placez-les dans un environnement adéquat pour une autre période, et ainsi de suite. Vous pourrez alors admirer des plantes florissantes.

## L'horaire des soins

J'ai entendu plusieurs personnes affirmer que les plantes réagis-

*Toutes les choses vivantes, y compris les plantes, réagissent à une attention fournie régulièrement.*

**Le saviez-vous?**
Le vinaigre constitue un bon supplément pour les plantes qui aiment un sol acide, comme les azalées et les camélias. Une ration mensuelle de 15 ml dans 250 ml d'eau fait des merveilles !

sent aux paroles et aux chansons. D'autre part, j'en ai aussi entendu plusieurs autres qui ne juraient que par la fertilisation aux engrais. J'ai même eu connaissance de l'histoire d'un homme qui, dit-on, restait planté une heure par jour devant son immense cactus, en lui disant qu'il ne lui ferait aucun mal et qu'il le protégerait. Éventuellement, le cactus, pourtant bien en santé, a laissé tomber ses aiguillons protecteurs ! Malgré toutes ces histoires, aucune des deux parties ne m'a convaincu...

Toutes les choses vivantes, incluant les plantes évidemment, réagissent face à une attention régulière, spécialement si elle est quotidienne.

Je serais tenté de dire que cette attention est comme le lien qui unit une mère à son enfant, mais ce serait insinuer que je suis de ceux qui croient que les plantes entendent et ressentent. Toutefois, je dois dire que ceux qui croient en cette conception éthérée de la vie réussissent souvent mieux que les pragmatiques qui ont constamment besoin de preuves. En fait, les plantes aiment l'attention et c'est là certainement quelque chose que vous pouvez leur donner.

## Chaque jour

- ☐ Toutes les plantes qui n'ont pas une exposition égale au soleil, spécialement celles qui sont sur les rebords de fenêtres, devraient être déplacées d'un quart de tour.

- ☐ Vérifiez le mélange terreux en y enfouissant votre doigt à une profondeur de 3 cm environ. Les plantes qui demandent un taux d'humidité constant devront être arrosées presque chaque jour. Par contre, si le mélange est constamment très humide, vérifiez aussi le drainage.

- ☐ Retournez les feuilles des plantes pour voir s'il y a des insectes ou des maladies. Y a-t-il des traces de mildiou? des taches brunes? des toiles d'araignée? Reportez-vous à mon livre concernant les insectes nuisibles et les maladies.

- ☐ Vérificz les jeunes pousses et les boutures et augmentez leur taux d'humidité, s'il y a lieu. N'oubliez pas d'éliminer toute condensation sur le couvercle.
- ☐ Bassinez, selon leur besoin durant la journée, toutes les boutures et les pousses nouvellement empotées pour en prévenir le flétrissement.
- ☐ Arrachez les fleurs fanées, les feuilles mortes ou déformées et nettoyez les débris à la surface du mélange terreux.

### Chaque semaine

- ☐ Arrosez les plantes dont le mélange terreux doit sécher entre les arrosages. *Utilisez votre doigt et non votre calendrier* pour déterminer le moment approprié à cette tâche.
- ☐ N'hésitez pas à éclaircir les rangs des semis s'il manque d'espace entre les pousses.
- ☐ Enlevez les pots qui se trouvent dans des contenants de céramique et éliminez l'eau qui s'y est amassée.

### Tous les quinze jours

- ☐ Ajoutez de l'engrais aux plantes qui sont en période de croissance ou qui fleurissent.
- ☐ Arrosez généreusement les plantes dont la surface du mélange terreux contient des résidus salins.
- ☐ Époussetez les plantes à feuillage (plus souvent durant les mois de février très sec et d'août très poussiéreux) et enduisez-les d'insecticide.

### Chaque mois

- ☐ Détachez de nouvelles boutures des plantes molles qui poussent rapidement.
- ☐ Vérifiez si certaines mottes de racines sont trop à l'étroit dans leur pot. Au besoin, rempotez-les ou taillez les racines.

Ces listes ne sont pas exhaustives et peuvent varier selon les plantes que vous avez. Cependant, il y a une chose que vous devez obligatoirement avoir : un calendrier assez grand pour pouvoir y inscrire à l'avance les besognes occasionnelles. Vous saurez ainsi exactement quand il faudra les faire. Si vous connaissez la journée où vous avez remisé les tulipes dans la cave, vous saurez quel est le moment opportun pour les transplanter à l'extérieur. Croyez-moi, même si vous possédez une excellente mémoire, il est toujours préférable de marquer ces choses !

Chapitre 4

# Arrosage, lumière, fertilisation

# Arrosage, lumière, fertilisation

Vous souvenez-vous de mon secret garantissant 80 % de votre réussite? Il se résumait ainsi : toutes les plantes requièrent de la lumière, de l'eau, de l'air et des matières nutritives. Eh bien, dans ce chapitre vous trouverez quelques principes, parfois très simples mais toujours importants, qui vous garantiront 100 %, ou presque, de succès!

Toutes les plantes d'intérieur ont comme habitat initial l'environnement extérieur. Vous devez garder ce principe en tête lorsque vous prenez soin de vos plantes. Aussitôt que vous empotez une plante, vous la limitez dans sa capacité de se procurer eau et matières nutritives parce que ses racines sont emprisonnées dans un pot. Les plantes d'intérieur n'ont donc pas choisi leur emplacement comme elles l'auraient fait naturellement; vous contrôlez complètement la quantité d'humidité, de lumière ou de soleil qu'elles peuvent avoir. De fait, vos plantes dépendent entièrement de vous.

## L'arrosage

La cause la plus fréquente d'un échec dans le jardinage des plantes d'intérieur est le *surplus d'arrosage*; la deuxième cause d'échec est le *manque d'arrosage*. Pourtant cette tâche est assez simple, si vous tenez compte de deux choses:

1. Vos plantes doivent être empotées dans un mélange terreux bénéficiant d'un bon drainage.
2. Vous devez vérifier vos plantes régulièrement pour voir si elles ont besoin d'eau.

*Le manque et le surplus d'eau sont les causes les plus fréquentes de problèmes chez les plantes.*

Encore une fois, en enfouissant votre doigt dans la terre, vous saurez de façon précise s'il est temps ou non d'arroser.

*La qualité de l'eau.* Trop souvent, notre eau contient de nombreux éléments chimiques dissous — délibérément ou non — et qui causent des problèmes aux plantes d'intérieur tout comme les pluies acides endommagent nos érablières. Toutefois, pour nos plantes, les conséquences se font sentir plus rapidement.

L'eau courante de la plupart de nos municipalités contient plus de chlore que ne le désirent nos plantes. Si vous laissez reposer l'eau dans un contenant ouvert pour quelques heures, ce gaz s'évaporera et l'eau deviendra acceptable. Il est aussi important qu'elle soit à la température de la pièce lors des arrosages. Les plantes n'aiment pas (tout comme nous d'ailleurs !) le choc d'une pluie froide, ce qui peut en plus abîmer certaines feuilles. Les plantes au feuillage pubescent, comme les gloxinias et les violettes africaines, n'apprécient pas que leurs feuilles soient mouillées, surtout par de l'eau froide...

Les adoucisseurs d'eau peuvent aussi entraîner des conséquences fâcheuses, surtout ceux qui remplacent le calcium de l'eau par du sodium. Le sodium n'est pas un gaz : il ne peut s'évaporer comme le fait le chlore. À la place, il se ramasse dans le mélange terreux et produit des résidus salins à la surface. Donc, si vous avez un adoucisseur d'eau, puisez votre eau d'arrosage entre les tuyaux extérieurs et l'adoucisseur afin qu'elle soit encore dure.

*L'eau de pluie douce est bonne pour les plantes.*

L'eau qui est naturellement trop alcaline peut rendre la vie dure aux plantes qui préfèrent les sols acides, comme les azalées et les gardénias. Ce problème peut être facilement surmonté en ajoutant de la tourbe dans le mélange terreux et du fer chélateur à l'eau, selon le mode d'emploi indiqué sur la boîte. On peut

*Violette africaine*

aussi additionner des engrais conçus spécialement pour les plantes qui aiment les sols acides.

Habituellement, l'eau de pluie est bonne pour les plantes d'intérieur parce qu'elle est douce et ne contient pas de sodium. Elle n'est pas alcaline, mais elle est parfois trop acide à cause de la pollution de l'air.

*Quand faut-il arroser?* Il est difficile d'établir des lois spécifiques pour l'arrosage des plantes d'intérieur parce qu'il n'y a pas vraiment de règles, du moins aucune qui ne puisse être brisée! La seule à laquelle je peux penser est la suivante: *Ne laissez jamais les feuilles se faner entre les arrosages.* Cependant, même s'il n'y a pas de règles strictes, je vais quand même essayer de dresser une liste des grandes lignes à respecter.

Voyons pour commencer les variables. Les plantes ont besoin de plus d'eau durant certaines périodes: les périodes de croissance et de floraison, par temps chaud, sec et venteux (à cause d'une fenêtre ouverte par une journée chaude et venteuse) et lorsqu'elles sont beaucoup exposées au soleil.

Les plantes demandent moins d'eau quand c'est frais, sombre et humide et quand elles sont en période de dormance.

Les autres variables incluent les besoins spécifiques aux espèces de plantes, la taille du pot et la composition du mélange terreux. Même si j'ai déjà parlé amplement, dans un autre chapitre, des pots et des mélanges terreux, j'aimerais résumer ici le point le plus important: un bon drainage. Pour ce qui est des plantes, je dresse plus loin dans ce livre une liste des plantes les plus populaires avec des détails quant à leurs besoins d'eau. Toutefois, si vous suivez l'horaire des soins, vous verrez que les plantes vous indiquent elles-mêmes le moment opportun pour les arroser. En observant et en admirant vos plantes tous les jours, vous constaterez d'autres signes: par exemple, les feuilles ne sont pas aussi gonflées que la veille, les fleurs des azalées ne sont plus aussi vigoureuses, les fougères sont plus pâles, etc.

Mais attention! Quand les feuilles se flétrissent ou qu'elles démontrent quelques indications de sécheresse, le problème peut être opposé aux apparences. En effet, la cause peut provenir d'un *surplus* d'eau, entraînant le pourrissement des racines et empêchant alors ces dernières de puiser l'eau nécessaire aux fleurs et aux feuilles. Par conséquent, quand vous vérifiez l'état d'humidité du mélange terreux, ne vous contentez pas d'un petit toucher en surface. Insérez aussi votre doigt dans le mélange à une profondeur de 3 cm. De temps en temps, assurez-vous du bon état de la motte de racines en sortant celle-ci du pot.

Les plantes qui requièrent un taux d'humidité constant doivent être arrosées lorsque la surface du mélange terreux est sèche. Celles qui demandent un taux d'humidité toujours très élevé doivent être arrosées à peu près toutes les fois que vous y pensez. L'expression *à demi sec entre les arrosages* signifie que le mélange terreux doit être sec de la surface et à environ 2,5 cm de profondeur avant le prochain arrosage. L'expression *sec avant l'arrosage* est explicite en soi: le mélange doit être sec (sauf pour les 5 cm du fond) avant de recevoir une nouvelle ration d'eau. Les plantes qui ont de tels besoins sont, la plupart du temps, empotées dans des mélanges sablonneux ou graveleux et ne contenant pas de tourbe.

Un calendrier s'avère très utile pour les arrosages. Si vous inscrivez toutes les fois que vous arrosez une plante, vous serez capable de dire approximativement à quel intervalle vous devez lui donner de l'eau.

*Comment arroser.* Voici une autre règle, celle-là sans exception je crois! Lorsqu'il est temps d'arroser une plante, que ce soit

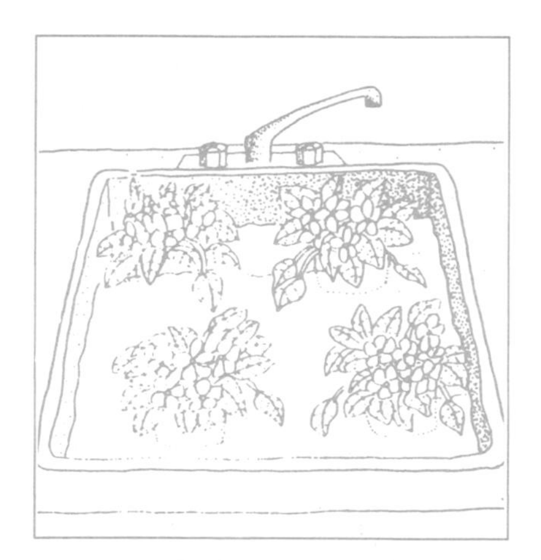

*Placez les plantes à feuilles duveteuses dans un évier contenant de l'eau et laissez celle-ci s'infiltrer par le fond.*

une fois par mois ou deux fois par jour, vous devriez lui donner assez d'eau pour tremper entièrement la motte de racines. L'humidité subsistera plus longtemps ainsi, fait intéressant si vous vous absentez ou si vous êtes privé d'eau pour un bout de temps.

Il y a différentes manières de tremper la motte de racines. Les plantes aux feuilles pubescentes, comme les violettes africaines, n'aiment pas que leurs feuilles soient mouillées; il est donc préférable de leur fournir de l'eau par le fond. Pour ce faire, placez le pot dans un évier contenant de l'eau jusqu'à la hauteur de la surface du mélange terreux. Lorsque le mélange arrête de faire des bulles, c'est qu'il a absorbé autant d'eau qu'il le peut. Il faut alors retirer le pot de l'évier et laisser l'excédent d'eau se drainer. Parmi les autres plantes qui demandent un tel traitement, se trouvent les nouvelles pousses (ou plantules) dont les tiges toutes neuves pourraient être endommagées par un jet d'eau, ainsi que les plantes empotées dans un mélange extrêmement sec. Dans ce dernier cas, le mélange se resserre au centre, laissant un espace vide près de la paroi du pot, et l'eau s'écoule directement de la surface jusqu'au fond sans même mouiller les racines. Quand vous laissez tremper les plantes dans un bassin, vous êtes assuré que l'eau a pénétré et fait gonfler la motte de racines jusqu'à la paroi du pot; toutefois, il est bon de vérifier si cela s'est bien produit la prochaine fois que vous arrosez. S'il le faut, à l'aide d'un bâtonnet, ajoutez du mélange terreux entre la paroi du pot et la motte de racines. Lorsque le pot est placé dans un bassin d'eau, il est possible que vous ayez à tenir en place la motte très sèche pour l'empêcher de flotter hors du pot. Une fois qu'elle est saturée d'eau, le problème est réglé.

*Remplissez la coupe de la rosette des feuilles de broméliacées afin de leur fournir l'humidité dont elles ont besoin.*

L'autre façon de procurer l'eau aux plantes est d'arroser par le haut. Puisque, généralement, le feuillage d'une plante doit être sec, surtout si elle est placée au soleil ou sous une lumière vive, il faut utiliser un arrosoir à long bec effilé. Mais il y a quand même des exceptions: toutes les plantes épiphytes, comme les broméliacées et d'autres plantes tropicales. Lors de leurs arrosages, il faut aussi humecter ou bassiner leurs feuilles de temps à autre pour qu'elles se sentent chez elles... La coupe que forme la rosette des feuilles de broméliacées doit toujours être pleine d'eau parce que leurs racines ne font que soutenir les plantes, ou presque.

Vous saurez que la motte de racines est correctement trempée lorsque, dans un délai de 30 à 60 secondes, environ le quart de l'eau ajoutée par le haut ressortira par le bas. Si l'eau s'évacue plus vite qu'en 30 secondes, cela signifie qu'elle est passée directement entre la motte de racines et la paroi du pot. L'excédent d'eau doit toujours être jeté, et non amassé ni réutilisé, afin de protéger le mélange d'un amas trop important de résidus salins.

## La lumière

Les quantités de lumière requises par les plantes sont beaucoup plus faciles à déterminer que les quantités d'eau. Les plantes qui

*Si les plantes ne reçoivent pas assez de lumière, elles risquent de s'étirer pour aller en chercher.*

ne reçoivent pas assez de lumière sont, habituellement, pâles; elles ont souvent des tiges plus longues que la normale et des feuilles plus courtes. Parfois, certaines plantes ont même l'air de chercher plus de lumière, étirant leurs feuilles vers la fenêtre la plus proche. Celles qui possèdent un feuillage coloré, comme les crotons, perdront cette coloration lorsqu'elles manqueront de lumière et deviendront vertes, tout simplement.

Un excès de lumière est caractérisé par des taches de brûlures sur les feuilles. Dans certains cas, les feuilles prendront une teinte très pâle et insipide avant de se faner et de sécher. Ces

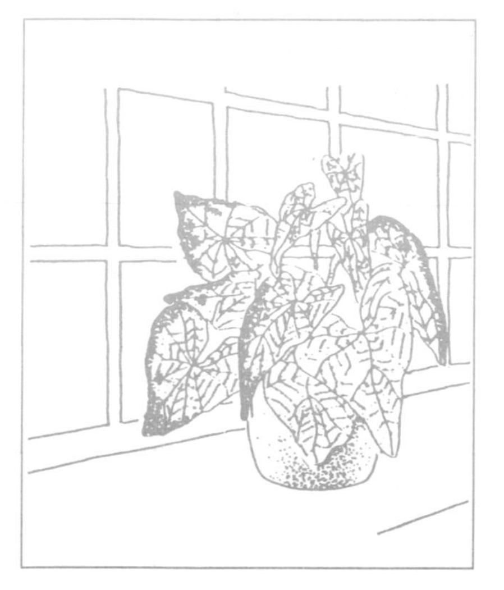

*Un surplus de lumière et de chaleur peut causer le brunissement et le flétrissement des feuilles.*

*Une ampoule de lumière incandescente peut augmenter l'apport de lumière durant l'hiver.*

symptômes peuvent provenir d'autres causes, mais si une plante est placée sur le bord de la fenêtre du côté sud et qu'elle reçoive directement les chauds rayons du soleil, il est fort probable que ces symptômes soient dus à un excès de lumière. Dans ce cas, transportez la plante ailleurs, au moins durant les heures du midi, et vérifiez si cela fait une différence. Les problèmes provenant d'une surexposition à la lumière surviennent habituellement durant les mois d'été lorsque le soleil est à son angle le plus élevé.

Encore une fois, il faut garder en mémoire quelques variables. Lorsque les plantes sont dans leur période de dormance (elles ne montrent aucun signe de croissance mais ont quand même l'air en santé), elles requièrent moins de lumière. Lorsque les plantes sont en période de floraison, leurs fleurs dureront plus longtemps si elles sont protégées contre les chauds rayons du soleil. Toutefois, cette dernière variable ne s'applique pas aux plantes dont la floraison est continuelle, comme les hibiscus, parce qu'elles ont besoin du soleil pour former de nouvelles fleurs.

Les jeunes plantes et celles qui sont nouvellement empotées demandent, elles aussi, moins de lumière. Pour en augmenter la quantité, il faut attendre que les racines se soient développées ou qu'elles aient repris suffisamment de force pour puiser l'eau nécessaire aux feuilles.

La qualité de lumière devient un facteur important quand vous n'avez que la lumière artificielle pour vos plantes. Celles-ci ont besoin des parties de lumière situées entre les ondes bleu/violet et orange/rouge sur le spectre. Les ampoules incandescentes offrent des rayons rouges et infrarouges qui se transforment en chaleur. Cependant, elles n'offrent que peu des autres ondes du spectre. Ainsi, parce qu'elles ne reproduisent qu'une faible partie de la lumière du soleil, elles ne sont pas adéquates comme seule source de lumière pour les plantes. Par contre, il existe d'autres ampoules incandescentes spéciales qui fournissent les ondes manquantes et moins de chaleur.

À moins que vous désiriez faire une grande production de plantes d'intérieur, tout ce dont vous avez besoin c'est de deux tubes fluorescents pour avoir tous les rayons nécessaires. Certains combinent les ondes rouges et bleues, simulant la lumière naturelle; d'autres ne fournissent que l'une ou l'autre. Votre pépiniériste peut vous conseiller grandement dans le choix des tubes convenant parfaitement à vos plantes.

*Quelle grosseur de tube faut-il acheter?* Un tube fluorescent de 40 watts et mesurant 1,2 mètre (4 pi) de longueur sera idéal pour un coin de 1,2 mètre de long et de 15 cm de large. Des tubes de cette grosseur placés à 15 cm des plantes, fourniront suffisamment de lumière pour les violettes africaines, mais pas assez pour les plantes qui requièrent habituellement une grande exposition au soleil. Pour ces dernières, procurez-vous des tubes fluorescents combinés que vous pourrez agencer avec une ampoule incandescente spéciale.

## La fertilisation

Lorsque nos plantes présentent des signes d'une santé chancelante, nous relions très souvent ce fait à une pauvre nutrition et, par conséquent, nous commençons à les nourrir. Toutefois, dans la majorité des cas, c'est la pire chose à faire. De plus, les gens ont alors tendance à donner beaucoup trop d'engrais à leurs plantes d'intérieur.

La manière convenable de nourrir les plantes est de leur fournir les bonnes matières nutritives juste au moment où elles en ont besoin, et de leur donner la quantité appropriée, pas plus. Ce n'est pas aussi difficile que ça en a l'air, particulièrement si vous êtes prudent et leur donnez un petit peu moins que la quantité prescrite sur le mode d'emploi de l'emballage.

*Qu'est-ce que la fertilisation?* Il y a 16 éléments indispensables à la croissance des plantes. Trois d'entre eux proviennent de l'air et de l'eau. Les autres sont tirés du sol. Les mélanges terreux artificiels ne contiennent aucune valeur nutritive. Donc tous les éléments nécessaires doivent y être ajoutés. D'autre part, les mélanges contenant du terreau n'ont besoin, en général, que de trois de ces éléments, soit l'azote, le phosphore et le potassium. Il est à noter que quelques rares plantes peuvent avoir d'autres besoins spécifiques en ce domaine.

Les trois chiffres que vous voyez sur les paquets d'engrais se rapportent, dans l'ordre, à l'azote, au phosphore et au potassium. Le premier nombre représente le pourcentage d'azote relié à la croissance, au nombre et à la taille des feuilles. Le deuxième chiffre concerne le pourcentage de phosphore nécessaire à la bonne santé des racines. C'est aussi cet élément qui interfère dans la capacité qu'a la plante de puiser ses matières nutritives. Le potassium, représenté par le troisième chiffre, contribue à la vigueur des tiges et à la qualité des fleurs. Les autres éléments (que l'on nomme *traces* parce qu'ils sont plus rares), reliés à la croissance, sont: le fer, le calcium, le magnésium, le soufre, le bore, le zinc, le cuivre, le chlore, le manganèse et le molybdène. Ils peuvent, ou non, être inclus dans la préparation fertilisante, ce que vous saurez en lisant soigneusement l'étiquette.

*La qualité des engrais.* On retrouve sur le marché plusieurs formes d'engrais: des granules, des bâtonnets, des poudres et des cristaux solubles dans l'eau. Elles peuvent être constituées d'huile de poissons, d'os et d'autres

**Qu'est-ce qu'un «pied-chandelle»?**

C'est la mesure de l'intensité de la lumière d'une chandelle à un pied de distance. Disons qu'un pied-chandelle équivaut à 2500 sous un soleil du midi en été, et à 500 sous un soleil du midi en hiver.

parties animales ou bien d'éléments chimiques inorganiques.

Pour vos plantes d'intérieur, le meilleur choix est l'engrais chimique soluble dans l'eau. Aussitôt ajouté à la plante, celle-ci peut immédiatement retirer les matières nutritives dont elle a besoin. Les effets bénéfiques se font donc sentir sans délai. Dans le cas des engrais organiques, il faut attendre qu'ils soient décomposés par les bactéries du mélange terreux pour être utilisés par la plante.

Le deuxième choix va aux bâtonnets et aux autres engrais conçus pour agir lentement. Il existe aussi des sortes de tapis spongieux que l'on peut placer sous les pots des plantes. C'est un nouveau produit qui semble très efficace. Ces engrais fournissent les matières nutritives chaque fois que vous arrosez vos plantes; de cette façon vous pouvez laisser passer plusieurs mois sans vous en inquiéter. D'un autre côté, ces produits fournissent aux plantes les matières nutritives, même quand elles n'en ont pas besoin. Cela peut entraîner un dangereux amas de résidus salins dans le mélange terreux. Ainsi, lorsque les plantes sont en période de dormance, vous devriez retirer ce genre de produit et bien mouiller le mélange à deux reprises pour éliminer tous les excédents d'engrais.

*Cyclamen*

N'employez les granules que dans votre jardin extérieur. La concentration de matières nutritives y est trop élevée pour les plantes d'intérieur et peut, par conséquent, brûler les racines ou les tiges. Les seules exceptions à cette règle sont la pierre à chaux, que vous pouvez ajouter aux sols artificiels afin de fournir un supplément de calcium et de magnésium, et le superphosphate, pour plus de soufre.

La dernière étape à franchir dans le choix de l'engrais que vous donnerez à vos plantes est l'estimation de leurs besoins. Vous pouvez trouver sur le marché des produits spécialement conçus pour certaines plantes, dont les violettes africaines et les géraniums. Par exemple, les engrais pour violettes africaines ont une combinaison de 10-30-20 avec quelques autres éléments traces (bore, cuivre, fer, manganèse, molybdène et zinc). S'il n'existe aucun engrais spécifique à vos plantes, procurez-vous une préparation dont la formule est 20-20-20 avec des éléments traces. Toutefois, vous pouvez aussi acheter des produits fournissant un pourcentage plus élevé de certains suppléments, selon les besoins de vos plantes (par exemple, plus d'azote pour les feuilles ou plus de phosphore pour les fleurs, etc. Si vos plantes ont l'air en santé, qu'elles possèdent beaucoup de belles feuilles et un bon taux de croissance, mais peu de fleurs, cela signifie que vous leur donnez probablement trop d'azote.).

*Quand fertiliser.* J'ai découvert trois règles à suivre pour une bonne fertilisation: *ne pas fertiliser* les plantes quand elles sont fanées, quand leur mélange terreux est sec et quand elles sont en période de dormance. Les plantes ne requièrent des matières nutritives que lorsqu'elles poussent bien et/ou qu'elles fleurissent. En d'autres temps, ces éléments peuvent s'amasser dans le mélange et endommager les racines.

La fréquence de la fertilisation est matière à discussion. Les plantes empotées dans un mélange artificiel ont besoin d'engrais plus souvent que celles qui sont plantées dans un mélange contenant du terreau. Une bonne solution est de faire une moyenne des soins requis dans ces deux cas. Par exemple, vous pouvez dissoudre 15 ml (1 cuil. à soupe) d'engrais dans 7 litres d'eau au lieu de 3,5 litres, et donner ce mélange deux fois plus souvent. Autrement, suivez les modes d'emploi des emballages en utilisant un peu moins d'engrais que demandé pour la quantité d'eau requise ou autant d'engrais et plus d'eau. Vérifiez parfois si vos plantes démontrent des signes d'une trop grande fertilisation.

Si des résidus salins se déposent sur les bords du pot ou à la surface du mélange, arrêtez la fertilisation et inondez le mélange à deux reprises. Si, par la suite, la croissance se poursuit, reprenez après un mois d'arrêt la fertilisation avec un engrais plus faible. Si la plante arrête encore de croître ou se fane malgré un horaire d'arrosage adéquat, cessez de nouveau l'utilisation d'engrais et inondez le mélange comme il faut. Puis, attendez que la plante se remette à pousser avant de reprendre le processus de fertilisation à l'aide d'un engrais encore plus faible qu'auparavant.

Si l'une des matières nutritives manque à la plante, vous le verrez. Toutefois soyez vigilants, car les symptômes signalant une carence sont les mêmes que ceux qui accompagnent un excès de matières nutritives. Ainsi, avant d'augmenter les quantités, vérifiez d'abord si vous n'en fournissez pas déjà trop à votre plante.

*Sachez quand fertiliser.* Les plantes qui croissent lentement et qui ont des feuilles plus petites, plus pâles ou jaunâtres ont besoin d'un surplus d'azote.

Quand il leur faut du phosphore, les feuilles prennent une couleur pourpre en dessous et les plantes poussent très lentement.

Des feuilles dont les bords deviennent tachetées et qui ensuite meurent sont le signe d'un manque de potassium. Toutefois, faites bien attention: les plantes qui reçoivent trop d'engrais ou des arrosages irréguliers ont aussi des feuilles brunes qui sèchent puis meurent.

Un bout de croissance de tige qui jaunit, s'entortille puis meurt indique une carence en calcium. Un manque de magnésium sera caractérisé par des feuilles qui tournent au vert pâle, puis au jaune ou au blanc et des veines qui restent vertes. Dans ce dernier cas, cependant, il peut y avoir une autre explication. En effet, ces symptômes sont aussi apparentés au manque de fer.

Lorsque les feuilles supérieures ainsi que leurs veines deviennent vert pâle, c'est que la plante a besoin d'un apport de soufre. Par contre, quand les feuilles supérieures sont marquées de régions mortes et de veines bien vertes, il faut donner du magnésium à la plante.

Une déficience en bore, et non en calcium, sera caractérisée par un bout de croissance qui meurt et des tiges très fragiles.

Généralement, quand les feuilles de vos plantes d'intérieur changent de couleur et que vous savez que la cause n'est pas l'arrosage ni le surplus d'engrais, il y a des chances pour que le problème provienne d'un manque d'un ou de plusieurs éléments traces. Dans ce cas, fertilisez vos plantes avec une préparation à base d'éléments traces et vous serez sûr de résoudre le problème...

Chapitre 5

# Des problèmes avec vos plantes?

## Des problèmes avec vos plantes?

Les gens ont tendance à penser tout de suite au pire quand un problème surgit. Aussitôt qu'ils ont mal au ventre, ils sont convaincus d'avoir attrapé une redoutable maladie tropicale, et non juste une grippe! Avec les plantes, ils ont les mêmes réactions.

Ainsi, après avoir lu les symptômes de carences, vous croirez que, à la moindre feuille jaune, vos plantes manquent de magnésium, d'azote ou de fer, et oublierez que cela peut tout simplement provenir d'un manque d'eau... Donc, quand vous notez qu'une de vos plantes a un problème, gardez à l'esprit que, la plupart du temps, la cause est très simple.

| Problèmes | Causes et solutions |
|---|---|
| Plante longue et dégarnie, plus de tiges que de feuilles, feuilles plus petites que la normale. | Manque de lumière. Augmentez l'intensité de la lumière en plaçant la plante près d'une autre fenêtre ou utilisez une lampe incandescente. |
| Croissance trop lente. | Plusieurs causes possibles. La plus simple est que la plante est dans une période de dormance ou de repos. Dans ce cas, ne faites rien jusqu'à ce que sa croissance reprenne. Surtout, ne lui donnez pas d'engrais.<br>Autres causes: un pot trop petit ou trop grand pour la plante, pas assez d'eau ni de lumière, trop d'eau, trop de chaleur, pas assez d'engrais, ou une combinaison de plusieurs de ces causes. |

| Problèmes | Causes et solutions |
|---|---|
| Feuilles jaunes. | Si ce sont des feuilles inférieures, cela est probablement dû à leur âge. Dans le cycle naturel de plusieurs plantes, les feuilles inférieures tombent à mesure que d'autres feuilles poussent plus haut.<br><br>Ce symptôme peut aussi provenir d'un manque de lumière; dans ce cas, la plante sera aussi dégarnie et les feuilles vertes seront plus pâles que la normale. Placez la plante sous une lumière plus vive.<br><br>Autre cause possible: un manque de matières nutritives (reportez-vous au chapitre précédent pour plus de détails), mais c'est la dernière chose à vérifier. Fertilisez avec des éléments traces. |
| Feuilles pâles. | Manque de lumière. Si c'est le cas, certaines feuilles seront aussi jaunâtres et/ou plus plus petites que la normale avec plus d'espace entre elles.<br><br>Cela peut aussi provenir d'un manque d'azote ou d'une autre matière nutritive indispensable à la croissance. |
| Taches brunes sur les feuilles. | Plusieurs causes possibles, toutes reliées aux conditions de croissance de la plante. Vous |

| Problèmes | Causes et solutions |
|---|---|
| Taches brunes sur les feuilles. *(suite)* 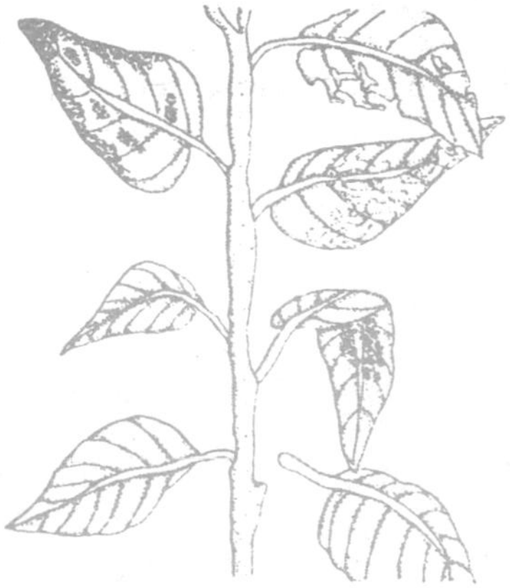 | aurez probablement à rectifier une ou plusieurs des situations suivantes:<br>- Trop de chaleur: placez la plante dans une pièce plus froide; diminuez l'exposition au soleil.<br>- Trop de soleil: placez la plante dans une pièce plus froide, diminuez l'exposition au soleil.<br>- Trop sèche: augmentez l'arrosage.<br>- Présence de givre: (vérifiez si cela ne provient pas d'une fenêtre ouverte tout près!) arrêtez la fertilisation pendant deux mois.<br>- Présence d'eau froide sur le feuillage: enlevez les feuilles tachées et arrosez par le fond (particulièrement pour les violettes africaines).<br>- Arrosages irréguliers.<br>- Amas de résidus salins: inondez la plante avec de l'eau à la température de la pièce. |
| Trous dans les feuilles; bords inégaux. | Cause probable: insectes affamés possiblement des cochenilles. On peut les enlever à la main et les jeter dans de l'alcool à friction. |

| Problèmes | Causes et solutions |
|---|---|
| Trous dans les feuilles; bords inégaux. *(suite)* | On peut aussi utiliser un insecticide en aérosol pour plantes d'intérieur. Pour les autres insectes, saupoudrez de diazinon ou de malathion. |
| Enroulement des feuilles; présence de taches et de toiles. | Cause première: présence d'araignées. On peut s'en débarrasser à l'aide d'un insecticide en aérosol pour plantes d'intérieur, de malathion ou de diazinon.<br>Autre cause possible: la moisissure, surtout s'il y a présence de poudre blanche sur les feuilles. Enlevez les feuilles très abîmées, vaporisez un fongicide et réduisez l'arrosage et l'humidité. Si la température est fraîche et qu'il y a trop d'eau dans le mélange terreux ou autour des feuilles, la moisissure peut se développer. |
| Présence d'écailles sous les feuilles. | Les écailles d'insectes, que l'on peut aussi trouver sur les tiges, |

| Problèmes | Causes et solutions |
|---|---|
| Présence d'écaille sous les feuilles. *(suite)* | peuvent être éliminées grâce à un insecticide en aérosol pour plantes d'intérieur, à du malathion ou à du diazinon. Vous pouvez aussi appliquer de l'alcool à friction avec un cure-oreille ou un petit pinceau. |
| Chute des feuilles. | La chute des feuilles indique, habituellement, un changement brusque de lumière, de température ou d'arrosage. Chez certaines plantes, comme les ficus benjamina, la tombée des feuilles n'est causée par aucune raison apparente. Ordinairement, la chute des feuilles n'est pas un problème sérieux. Si la plante ne reçoit pas assez de lumière, par exemple, vous devez augmenter la lumière pour que la plante retrouve sa pleine santé. |
| Chute des fleurs. | Mêmes causes que pour la chute des feuilles. Habituellement, ce phénomène se retrouve chez les plantes sensibles, comme les gardénias. |
| Les fleurs ne s'ouvrent pas. | L'air ambiant est trop sec. Bassinez une fois ou deux par jour, ou placez le pot dans un bassin d'eau.<br><br>Peut être causé par des fluctuations de température et d'arrosage. Les plantes n'aiment pas |

| Problèmes | Causes et solutions |
| --- | --- |
| Les fleurs ne s'ouvrent pas. *(suite)* | les changements brusques. Maintenez le statu quo autant que possible. |
| Pas de formation de fleurs. | Causes possibles : manque d'humidité, de lumière ou les deux. Facilement rectifiables.<br><br>Autre cause possible: trop d'engrais (azote surtout), ce qui entraîne une forte croissance du feuillage et une réduction du développement des fleurs.<br><br>Un forçage peut s'avérer nécessaire, surtout dans le cas des poinsettias ou des broméliacées qui ont besoin d'un traitement spécial. |
| Fleurs déformées. | Si la déformation est causée par un flétrissement, le problème provient sans doute d'un manque ou d'un surplus d'eau. Cependant, si les fleurs sont mal formées au départ, vérifiez s'il y a présence d'insectes ou de maladies fongiques. |
| Chute de poudre blanche provenant des fleurs ou des feuilles. | Si la poudre «s'envole», c'est que la plante est infestée de mouches blanches. Pour contrôler ce problème, on doit faire une application hebdomadaire d'insecticide (malathion). Ce produit tue les insectes adultes à mesure qu'ils émergent. Il ne détruit pas les oeufs |

| Problèmes | Causes et solutions |
| --- | --- |
| Chute de poudre blanche provenant des fleurs ou des feuilles. *(suite)* | ni les larves de mouches blanches. Répétez l'application pendant quatre semaines.<br>Si la poudre est bel et bien de la poudre, la source est probablement une maladie fongique. Enlevez les fleurs et les feuilles atteintes et traitez la plante avec du captane ou du benlate. Nettoyez les feuilles avec un savon insecticide pour prévenir toute recrudescence. |
| Amas poudreux sur les tiges aux aisselles des feuilles ou des branches, aux segments terminaux ou sous les feuilles. | Si l'amas est vivant, c'est un essaim de cochenilles farineuses. On peut contrer le problème en appliquant, à l'aide d'un cure-oreille ou d'un pinceau, un peu d'alcool à friction ou un mélange de malathion et de détergent.<br>Si l'amas ne bouge pas, la cause est alors le mildiou, que l'on peut éliminer avec du captane ou du benlate si les dégâts ne sont pas trop grands. Autrement, vous devez enlever les parties de la plante qui sont affectées. |
| Pourriture à la base. | Le botrytis, aussi appelé pourriture grise, est une maladie fongique que l'on peut contrôler avec du benlate ou prévenir grâce à des mélanges terreux stérilisés et des arrosages adéquats. |

| Problèmes | Causes et solutions |
|---|---|
| Tiges fragiles ou cassantes. | Cause: manque de certaines matières nutritives spécifiques. Reportez-vous à la section consacrée à la fertilisation. |
| Amas de poudre blanche dans le mélange terreux. | Cause habituelle: un surplus d'engrais. Toutefois, une telle réaction peut aussi se produire si vous ne fertilisez pas la plante, car les matières nutritives peuvent s'amasser à mesure que le terreau du mélange est transformé par les bactéries. De mauvaises techniques d'arrosage créent les amas. Si le mélange terreux a un bon drainage, le quart de l'eau d'arrosage devrait ressortir au fond par les trous de drainage en une minute environ. |
| Des insectes s'envolent du mélange terreux quand vous arrosez. | Ces insectes sont des moucherons de champignonnières qui indiquent la présence de maladies fongiques. La première chose à faire est de corriger sa technique d'arrosage. Pour se débarrasser des moucherons, inondez le mélange terreux d'une solution de diazinon ou saupoudrez du diazinon sur la surface du mélange. |

Tous les produits chimiques agricoles peuvent être dangereux s'ils sont mal utilisés. Les manufacturiers consacrent des millions de dollars et des années pour que toute l'information pertinente soit sur les étiquettes et que le gouvernement sanctionne la mise en marché. Par conséquent, lisez toujours soigneusement l'étiquette et suivez méticuleusement les instructions pour mélanger et appliquer le produit. Si vous respectez un horaire de soins, admirant et examinant vos plantes régulièrement, vous pourrez probablement contrôler la plupart des insectes et des maladies, et même les prévenir sans l'utilisation de produits chimiques.

# Chapitre 6

# Les 50 plantes les plus populaires

# Les 50 plantes les plus populaires

Dans la liste des 50 plantes les plus populaires dressée ici, les degrés de lumière que j'ai utilisés pour l'occasion sont: 1. lumière faible; 2. lumière moyenne; 3. soleil tamisé; 4. plein soleil.

L'expression *plein soleil* signifie le plus de lumière possible, du lever au coucher du soleil. Durant l'hiver, vous pouvez même augmenter l'intensité de la lumière à l'aide de lumière artificielle. *Soleil tamisé* veut dire que la plante préfère être loin du chaud soleil du midi (entre 11 h et 14 h) pendant l'été. En hiver, une exposition au soleil toute la journée ne peut nuire, sauf les jours où il est très brillant. Si déplacer la plante le midi constitue un problème, vous pouvez atténuer la lumière en installant un store ou des rideaux. Vous pouvez aussi placer votre plante de manière à ce que les rayons du soleil ne l'atteignent pas directement.

D'après mon expérience dans le domaine du jardinage, les plantes d'intérieur listées dans ce livre sont les plus populaires. Toutefois, le choix n'a pas été facile. Certaines ont dû être laissées de côté; alors, il se peut que votre plante d'intérieur préférée n'y figure pas...

**Légende**

**A. Humidité:** 1. très humide; 2. moyennement humide; 3. sec.

**B. Lumière:** 1. faible; 2. moyenne; 3. soleil tamisé; 4. plein soleil.

**C. Mélange terreux:** 1. tout usage; 2. très organique; 3. sablonneux; 4. acide.

**D. Température:** 1. 25-30° C; 2. 22-25° C; 3. 17-22° C.

**E. Arrosage:** 1. mélange terreux toujours très humide; 2. mélange terreux moyennement humide partout; 3. mélange terreux partiellement sec entre les arrosages; 4. mélange terreux sec entre les arrosages.

| Plante | Environnement | Description |
| --- | --- | --- |
| **Aloe vera** | A3, B2/3/4, C3, D3/2, E4 | Grande plante aux feuilles acérées pouvant atteindre 60 cm de long et formant une rosette. Le feuillage est |

| Plante | Environnement | Description |
|---|---|---|
| **Aloe vera** *(suite)* | | au début, vert pâle tacheté de blanc, puis, avec la maturation, il passe au gris-vert.<br><br>*Note:* Au magasin, ma femme Mary garde toujours une plante aloe vera à portée de la main. En cas de brûlure, elle arrache un morceau de la plante et se frictionne avec le jus. Il paraît que ça marche à tout coup!<br><br>*Multiplication:* bouturage de rejetons. |
| **Amaryllis (hyppeastrum)** | A2, B1/2, C2, D2, E2 | Les feuilles sont vert pâle et rubanées. Les larges fleurs ont une forme de trompette et poussent sur une tige pouvant atteindre 60 cm de haut. Elles sont blanches, roses ou rouges. |

*Aloe vera*

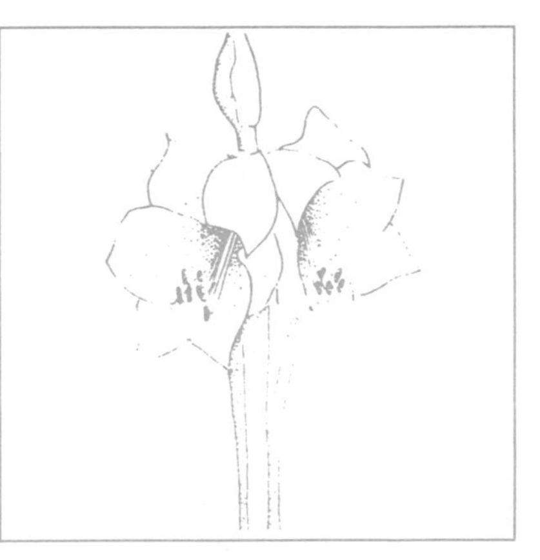

*Amaryllis*

| Plante | Environnement | Description |
|---|---|---|
| **Amaryllis** *(suite)* | | Laissez les bulbes reposer quand les feuilles meurent; reprenez l'arrosage quand la croissance de la partie supérieure de la plante recommence. *Multiplication:* bulbilles. |
| **Asparagus (asperge-fougère)** | A2, B1/2/3, C1, D2, E3 | Il a un feuillage élégant et délicat de 60 à 90 cm de long, parfois des petites fleurs blanches et des baies rouges. Ce n'est pas vraiment une fougère; il fait plutôt partie de la famille des liliacées. *Multiplication:* division de racines ou ensemencement. |
| **Aspidistra (plante en fer forgé)** | A2, B1/2/3, C1, D2/3, E2 | Les feuilles vernissées atteignent 60 cm de long. Elles sont vert foncé ou bigarrées avec du vert pâle. La tige est très courte. À l'occasion, de petites fleurs |

*Aspidistra*

*Gloxinia*

| Plante | Environnement | Description |
|---|---|---|
| **Aspidistra** *(suite)* | | pourpres à peu près inapparentes poussent à la base du plant. C'est une plante presque indestructible, comme le mentionne son nom. Très populaire, l'aspidistra est de culture facile.<br><br>*Multiplication:* division de racines. |
| **Azalée** | A1, B3/4, C4, D3, E2 | Très populaire plante à fleurs. Elle pousse beaucoup en largeur à l'extérieur, dans les régions semi-tropicales. La croissance à l'intérieur est limitée par la dimension du pot et le taillage. Les feuilles sont petites, ovales et de vert pâle à olive. Plusieurs produisent des fleurs mesurant jusqu'à 5 cm de largeur. Elles sont blanches, roses, rouges, |

*Bégonia*

| Plante | Environnement | Description |
|---|---|---|
| **Azalée** *(suite)* | | oranges ou dans une combinaison de couleurs.<br>Pour que la plante refleurisse, placez-la pour six semaines dans un endroit où la température est à 7° C; ensuite, élevez la température à 15° C pour deux mois. Fertilisez avec un engrais riche en phosphore (5-10-15). Les fleurs se forment sur la nouvelle pousse. |
| **Bégonias** *fraisier (géranium fraisier)* | A1, B2/3, C1, D3/2, E3 | Ce n'est pas vraiment un bégonia mais plutôt une saxifraga. Les tiges sont courtes. Les feuilles sont abondantes et de couleur vert olive avec des veines grises. Il a de longs courants minces comme des fils et préfère les températures fraîches.<br>*Multiplication:* division, ou empotage des plantules. |

*Hibiscus*

| Plante | Environnement | Description |
|---|---|---|
| *rex* | A1, B2/3, C2, D2, E2 | Les feuilles, de forme triangulaire, peuvent atteindre 45 cm de long dans une spectaculaire combinaison de couleurs: rouge, rose, pourpre, argent et vert. Le bégonia rex est sensible au mildiou. *Multiplication:* division de bulbes, bouturage de feuilles, ensemencement. |
| *à souches fibreuses* | A2, B3/4, C1, D2, E3 | Plantes à floraison annuelles. Le feuillage est vert pâle, vert foncé ou bronze. Les fleurs sont blanches, roses ou rouges. Ce sont des plantes de culture facile, mais il faut les tailler pour maintenir une belle apparence et augmenter la floraison. *Note:* Ces plantes sont dites annuelles; elles ne durent que de huit à dix mois. |

*Misère*

| Plante | Environnement | Description |
|---|---|---|
| *à souches fibreuses (suite)* | | *Multiplication:* division, bouturage ou ensemencement. |
| *à tubercules* | A1/2, B3, C2, D2/3, E3 | Les feuilles ont la taille et la forme du bégonia rex mais sont vert foncé. Les fleurs simples ou doubles sont spectaculaires et peuvent mesurer 8 ou 9 cm de largeur. Elles peuvent être blanches, jaunes, oranges, roses, rouges ou dans une combinaison de couleurs. *Multiplication:* division de bulbilles ou de bulbes. |
| **Brassaia actinophylla (arbre ombrelle,** anciennement appelé **schefflera)** | | L'arbre ombrelle peut atteindre 1,80 m à l'intérieur, ou beaucoup plus s'il y a de la place. La croissance est rapide: il est excellent pour remplir un coin dans un temps restreint. Chaque feuille possède de six à |

*Lierre anglais*

*Lierre germanique.*

| Plante | Environnement | Description |
|---|---|---|
| **Brassaia actinophylla** *(suite)* | | huit folioles mesurant jusqu'à 25 cm de long. Elles sont vert pâle mais, avec la maturation, peuvent devenir vert foncé.<br><br>L'espèce *s. venulosa erystrastachys* a une forme semblable, mais des folioles plus petites et plus nombreuses. À l'occasion, il faut les nettoyer avec un savon insecticide. Elle perdra ses feuilles inférieures s'il n'y a pas assez de lumière diffuse. Arrosez généreusement et laissez le mélange terreux s'assécher presque complètement entre les arrosages.<br><br>*Multiplication:* bouturage ou marcottage aérien. |

*Broméliacées*

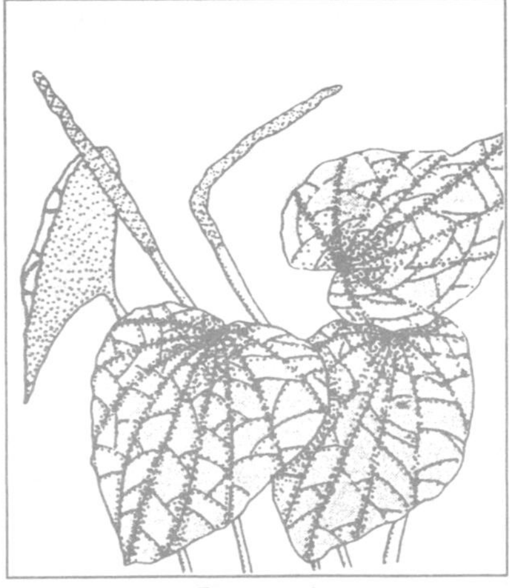

*Peperomia*

| Plante | Environnement | Description |
|---|---|---|
| **Broméliacées** *(épiphytes)* | A, B3, C3, D2, E3 | Grande variété de tailles allant de 10 à 120 cm. Les feuilles poussent tout autour de la tige. Elles peuvent être vert éclatant, olive, grises et souvent vernissées. Habituellement, les fleurs sont rouges; quelques-unes sont vertes, crème ou bleues. (Épiphyte veut dire qui croît sur une branche d'arbre avec des racines aériennes, dans son état naturel. Terrestre veut dire qui croît au sol.) |
| *(terrestres)* | A2, B3, C2, D2, E3 | Les broméliacées terrestres ont besoin de beaucoup d'eau. La formation des feuilles se fait autour de la tige. Fertilisez avec un engrais faible en azote. Faites le forçage des fleurs en plaçant la plante pendant une semaine dans un |

*Pilea*

*Plante rouge à lèvres*

| Plante | Environnement | Description |
|---|---|---|
| *(terrestres)* *(suite)* | | sac de plastique avec une pomme. L'éthylène de la pomme provoquera la floraison. (Faites cette tâche avec les enfants; ils seront fascinés.) |
| *(cactus)* | A2, B3/4, C3, D2, E4 | Leur hauteur varie de 5 cm à plusieurs dizaines de centimètres. Les fleurs se forment à la rosette des feuilles. Le forçage est difficile. Ce genre de plante requiert beaucoup de lumière durant l'hiver et des températures approchant le point de congélation; pas de givre, toutefois.<br>*Note:* On peut faire le forçage de certaines variétés en fleurs en asséchant complètement les plantes. Puis, il faut les arroser et leur donner une solution |

*Ceropegia*

| Plante | Environnement | Description |
|---|---|---|
| *(cactus) (suite)* | | fertilisante diluée mais riche en phosphore.<br><br>*Multiplication:* rejetons ou bouturage. |
| *(caladium)* | A1, B2/3, C1, D1, E2 | La hauteur va de 23 à 60 cm, avec des feuilles très larges, comme pour le bégonia rex, mais plus symétriques. Le feuillage présente une combinaison spectaculaire de blanc, rose, vert et rouge. Sa culture est facile mais, comme les bégonias à tubercules, il meurt relativement vite. Laissez sécher les tubercules à l'air, puis placez-les dans de la tourbe sèche pour une période de repos de deux ou trois mois avant de les empoter.<br><br>*Multiplication:* division de tubercules. |

*Plante velours*

*Plante zèbre*

| Plante | Environnement | Description |
|---|---|---|
| **Ceropegia (chaîne-des-coeurs)** | A2, B2/3/4, C1, D2, E4 | Les tiges rampantes peuvent atteindre 90 cm. Les feuilles sont petites, bleu-vert tachetées de gris et en forme de coeur. Le mélange terreux doit s'assécher entre les arrosages.<br>*Multiplication:* bouturage ou empotage de bulbilles formées le long des tiges aux aisselles des feuilles. |
| **Coléus** | A2, B3/4, C1, D2, E2 | D'une hauteur allant de 20 à 60 cm, le coléus possède des feuilles ovales dont la couleur varie entre le pourpre, le rose, le jaune, le rouge et l'orange.<br>*Note:* C'est une plante annuelle (elle dure de huit à dix mois).<br>*Multiplication:* bouturage ou ensemencement. |

*Croton*

| Plante | Environnement | Description |
|---|---|---|
| **Crassula** | A2, B4, C3, D2, E3 | Plante grasse aux feuilles vertes et charnues. La tige est robuste. Elle mesure environ 60 cm mais, avec la maturation, elle peut atteindre au moins 1,80 m en hauteur et en largeur. Ses feuilles vert foncé prendront une teinte rougeâtre si elles sont exposées au plein soleil. La plante adulte possède des grappes de petites fleurs blanches ou roses. Aucun soin spécial n'est requis; elle peut être traitée comme un bonsaï.<br>*Note:* Arrosez généreusement pendant la période de croissance; laissez sécher à fond pendant la période de dormance.<br>*Multiplication:* bouturage de tiges ou de feuilles; |

*Dieffenbachia*

| Plante | Environnement | Description |
|---|---|---|
| **Crassula** *(suite)* | | auparavant, laissez les boutures à l'air pendant deux ou trois jours pour qu'elles sèchent. |
| **Croton** | A1, B3/4, C2, D2, E2 | À partir d'une jeune pousse de 15 cm, le croton peut atteindre jusqu'à 1,80 m de hauteur. Son très beau feuillage est charnu et peut avoir plusieurs couleurs, parfois sur une même feuille. Il a besoin de lumière pour maintenir sa coloration qui varie de blanc cassé jusqu'à noir.<br><br>*Multiplication:* marcottage aérien ou bouturage. |
| **Cyclamen** | A1, B2/3, C2, D3, E2 | Mesurant entre 15 et 30 cm, le cyclamen est une plante très populaire dans le temps des Fêtes. Ses feuilles bleu-vert en forme de coeur sont marbrées de |

*Dracaena*

| Plante | Environnement | Description |
|---|---|---|
| **Cyclamen** *(suite)* | | gris argenté. Ses fleurs blanches, roses ou rouges, mesurent entre 5 et 7 cm. Elles sont résistantes si elles sont placées dans un environnement frais. Il requiert une température d'environ 13° C. Il fleurit entre 12 et 18 mois après l'ensemencement.<br>*Multiplication:* rejetons, bouturage de tiges ou marcottage aérien. |
| **Dieffenbachia** | A1, B2/3/4, C1, D2, E3 | Il peut mesurer 90 cm et plus de hauteur. Les feuilles sont larges et lustrées, d'un vert éclatant marbré de blanc. N'en mangez jamais: les cristaux d'acide oxalique contenus dans les feuilles peuvent faire gonfler la langue et la gorge et rendre toute élocution impossible. |

*Fausse aralie*

*Ficus benjamina*

| Plante | Environnement | Description |
| --- | --- | --- |
| **Dieffenbachia** *(suite)* | | *Multiplication:* rejetons, bouturage de tiges et marcottage aérien. |
| **Dracaena marginata** | A1, B2/3/4, C1, D2, E2 | Cette plante peut atteindre 1,2 m et plus. Les feuilles sont longues et effilées, foncées au centre et pâles à la marge. Le feuillage peut être beige et rose, blanc et vert foncé ou jaune et vert éclatant. La plante survit même si on néglige un peu les soins.<br><br>*Multiplication:* marcottage aérien ou bouturage de tiges. |
| **Fausse aralie** | A1, B2/3, C2, D2, E2 | Arbrisseau élégant, la fausse aralie peut atteindre jusqu'à 2,5 m de hauteur. Ses feuilles palmées sont composées de folioles étroites et dentées. Au |

*Fittonia*

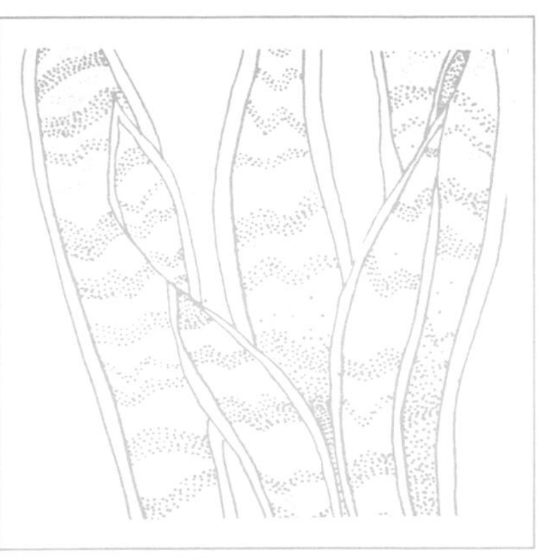

*Sanseveria*

| Plante | Environnement | Description |
|---|---|---|
| **Fausse aralie** *(suite)* | | début, elles sont de couleur cuivre puis, avec la maturation, elles tournent au vert foncé. La pousse terminale doit être coupée à environ 1,2 m pour empêcher la fausse aralie d'avoir la taille d'un arbre et ainsi de perdre de son élégance.<br><br>*Multiplication:* marcottage aérien ou ensemencement. |
| **Ficus benjamina (figuier pleureur)** | A2, B2/3/4, C1, D3, E2 | Il peut mesurer 1,80 m et plus. Ses feuilles, de 5 cm, sont luisantes et passent du vert pâle au vert plus foncé avec la maturation.<br><br>C'est une plante fragile. Si elle est déplacée ou que les conditions de lumière varient trop, les feuilles risquent de tomber. Mais, à moins que le changement |

*Spathiphyllum*

| Plante | Environnement | Description |
|---|---|---|
| **Ficus benjamina** *(suite)* | | soit draconien, le feuillage repoussera.<br>*Multiplication:* marcottage aérien. |
| **Ficus elastica (caoutchouc)** | A2, B2/3/4, C1, D3, E3 | L'une de mes plantes d'intérieur préférées. Le ficus elastica croît jusqu'à 1,5 m de hauteur. Ses feuilles sont larges, lourdes et de forme elliptique. Du rouge, au début, elles deviennent par la suite vert foncé avec des nervures blanches. La culture est facile, mais il faut surveiller étroitement l'arrosage.<br>*Multiplication:* marcottage aérien. |
| **Fittonia** | A1, B2/3, C1, D3, E2 | Plante à croissance lente. Elle possède des feuilles circulaires de 3 à 6 cm de diamètre et dont les veines contrastantes ressemblent |

*Gardenia*

*Larmes de bébé*

| Plante | Environnement | Description |
|---|---|---|
| **Fittonia** *(suite)* | | à des arêtes de poisson. Le feuillage peut être vert avec des veines blanches, vert et rose ou olive et rouge vif. C'est une plante délicate, très sensible au froid et au surplus d'arrosage. L'eau froide sur les feuilles peut les endommager. N'employez que de l'eau tiède.<br>*Note:* s'agence bien avec des fougères.<br>*Multiplication:* bouturage de tiges. |
| **Fuchsia** | A1, B1/2, C1, D3, E2 | Le fuchsia peut être cultivé comme arbuste ou en bouquets suspendus. Son feuillage est d'un vert clair sans éclat particulier. Les fleurs, simples ou doubles, peuvent devenir de superbes clochettes suspendues. On en trouve des rouges, |

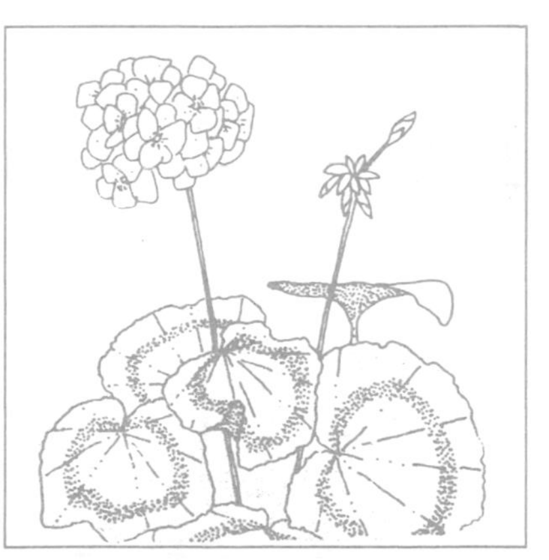

*Géranium*

| Plante | Environnement | Description |
|---|---|---|
| **Fuchsia** *(suite)* | | des roses, des mauves et des blanches.<br><br>La croissance est rapide; par conséquent, il sèche rapidement et devrait être protégé des rayons du soleil par un rideau translucide, entre 12h et 14h. Les températures doivent être fraîches, de préférence.<br><br>*Note:* Un niveau très élevé d'humidité est obligatoire.<br><br>*Multiplication:* bouturage en novembre et décembre. |
| **Gardénia** | A, B1/2, C1, D3, E2 | Il peut atteindre 60 cm en hauteur et en largeur, mais reste plus petit en pot. Les feuilles sont d'un vert foncé brillant. Les fleurs, de couleur crème, peuvent atteindre 5 cm de diamètre. Leur odeur est exquise. En période de croissance, il devrait être gardé à une température relativement élevée et à une humidité constante. Bassinez-le régulièrement.<br><br>En période de floraison, il faut le placer au frais (environ 16° C) avec un taux d'humidité plus bas. Durant l'hiver, maintenez le gardénia loin des portes donnant sur l'extérieur, car les coups de vent font tomber les fleurs. Toute- |

| Plante | Environnement | Description |
|---|---|---|
| **Gardénia** *(suite)* | | fois, gardez-le au frais, car c'est sa période de repos. Les jeunes plantes donnent des fleurs plus facilement que les vieilles. *Note:* Le gardénia réagit mieux à une solution diluée d'engrais acide (p. ex., RX30). Appliquez-la de mars à juin pour la floraison du printemps. |
| **Géranium** | A2/3, B3/4, C1, D2/3, E2/3 | Il en existe plusieurs variétés: des lierres rampants aux plants rectilignes de 30 cm de haut. Les fleurs forment généralement des bouquets de fleurettes disposées sur une même tige. Elles peuvent être rouges, roses ou marbrées de blanc. Certaines espèces en ont de toutes les couleurs, sauf des bleues. Les feuilles de quelques variétés ont une couleur plus foncée avec un dessin ressemblant à un fer à cheval brun. Par contre, d'autres possèdent des feuilles attrayantes à trois ou quatre couleurs mais qui deviennent vertes si on leur donne trop d'azote. Certaines espèces sont cultivées pour leur senteur plutôt que pour l'apparence de leurs fleurs. La |

| Plante | Environnement | Description |
|---|---|---|
| **Géranium** *(suite)* | | plupart fleurissent toute l'année si elles sont gardées à une humidité constante au plein soleil pendant la saison chaude. En hiver, il faut une température d'au moins 10° C; laissez les mélanges terreux s'assécher entre les arrosages. *Note:* Coupez vos géraniums de la moitié en hiver pour qu'ils vous donnent de belles fleurs en été. *Multiplication:* bouturage de tiges en septembre et octobre. |
| **Gloxinia** | A1, B4, C1, D2, E3 | Cette plante peut atteindre 25 cm. Les larges feuilles sont vert foncé à nervures pâles. Le gloxinia produit de fascinantes fleurs de velours en forme de clochettes de 5 cm de diamètre. Elles sont simples ou doubles, dans des tons de blanc, mauve, rose, rouge. Comme pour les violettes africaines, on peut endommager les feuilles en y versant de l'eau froide, surtout si elles sont au soleil. *Multiplication:* ensemencement, tubercules, ou bouturage de feuilles (les tubercules sont plus sûrs). |

| Plante | Environnement | Description |
|---|---|---|
| **Helxine soleirolii (larmes de bébé)** | A1, B1/2, C2, D2, E2 | C'est une petite plante rampante avec de minuscules feuilles circulaires d'un vert éclatant. Elle n'apprécie pas les mélanges terreux secs ou les taux d'humidité trop bas. Par conséquent, bassinez souvent le feuillage.<br>*Multiplication:* division. |
| **Hibiscus** | A1, B4, C1, D2, E2 | L'hibiscus peut atteindre 1,2 m et même plus. Cependant, les petits plants fleurissent plus vite. Les feuilles, dentées et elliptiques, sont attrayantes. Avec la maturation, elles passent de vert vif à vert foncé. Les fleurs sont magnifiques et abondantes. Elles mesurent de 8 à 10 cm de diamètre, qu'elles soient simples ou doubles. On en retrouve des rouges, des jaunes ou de teinte orange.<br>Les fleurs poussent facilement, mais elles ne durent jamais plus d'un jour. On peut le traiter comme une plante à feuilles caduques en diminuant les arrosages et en le retirant de la lumière. Dans ce cas, les feuilles tomberont. Pour les garder, il faut maintenir l'humidité durant la période de repos. |

| Plante | Environnement | Description |
|---|---|---|
| **Hibiscus** *(suite)* | | *Multiplication:* marcottage aérien, ou bouturage de tiges. |
| **Lierre anglais** | A1/2, B1/2/3/4, C1, D2/3, E2/3 | C'est une plante rampante qui peut pousser aussi loin que vous le lui permettez. Les feuilles, de grandeurs variées, sont généralement pointues et ressemblent à des feuilles d'érable. Elles sont vert foncé ou vert pâle, avec des nuances de jaune ou de blanc sur les bords. Épincez les tiges pour encourager la pousse ou attachez-les à un support.<br>*Multiplication:* marcottage ou bouturage. |
| **Lierre germanique** | A1, B2/3, C2, D3, E1/2 | Sa taille peut atteindre 30 cm et plus. Les feuilles, d'un vert vif, sont dentées et duveteuses. Elles produisent des plantules à leur base, à la jonction de la tige. Le lierre germanique est sensible aux excès de chaleur et de sécheresse, mais il ne requiert aucun soin particulier.<br>*Multiplication:* bouturage de plantules dans un mélange de sable et d'eau. |
| **Maranta (plante qui prie, dormeuse)** | A1, B2, C2, D2, E2 | Sa taille peut atteindre 20 cm. Les feuilles sont vert olive tachetées de vert pâle, avec des veines rouges, ou |

| Plante | Environnement | Description |
|---|---|---|
| **Maranta** *(suite)* | | bien vert pâle avec des raies vert foncé. La plante qui prie, de son surnom, n'apprécie pas la lumière vive. *Multiplication:* division de touffes. |
| **Misère** | A2, B3/4, C1, D3, E3 | L'une des plantes rampantes les plus populaires pour la maison. Il existe plusieurs espèces. Les feuilles sont ovales et se présentent dans différentes combinaisons de couleurs: bleu-vert et pourpre en dessous, argenté et vert, etc. |
| *(Zebrina)* | A1, B3/4, C1, D2, E2 | Les misères du genre zebrina ont des feuilles pointues avec des rayures de zèbre vertes, pourpres, argentées et même jaune et vert. Une bonne exposition au soleil intensifie la coloration. Épincez la plante pour obtenir une pousse plus fournie. *Multiplication:* bouturage de tiges. |
| **Neanthe bella** | A2, B1/2, C1, D2, E3 | Palmier nain pouvant atteindre 90 cm et plus. Ses feuilles sont ravissantes et composées de folioles de 15 cm. Il croît facilement parce que les folioles deviennent de plus en plus résistantes à mesure que la plante vieillit. |

| Plante | Environnement | Description |
|---|---|---|
| **Neanthe bella** *(suite)* | | *Multiplication:* ensemencement ou division de rejetons. |
| **Peperomia** | A2, B2/3, C1, D2, E4 | Une de mes plantes préférées pour les rebords de fenêtre ou le terrarium. Le peperomia peut atteindre environ 20 cm et comprend plusieurs variétés. L'espèce *peperomia magnoliaefolia*, sans doute la plus populaire, a de belles feuilles cireuses tachetées de vert pâle et de jaune.<br>L'espèce *peperomia carperata*, aussi appelée «queue de rat», possède des feuilles à surface gaufrée vert foncé, avec des sillons bruns. Les feuilles deviennent uniformément vertes si elles n'ont pas assez de lumière. Elles sont aussi très sensibles aux arrosages trop généreux.<br>*Multiplication:* bouturage de tiges. |
| **Philodendron** | A1/2, B2/3/4, C1, D2, E2 | C'est probablement la plus populaire des plantes grimpantes pour la maison. Il existe plusieurs variétés. L'espèce *scandens* a des feuilles vert vif en forme de coeur. On peut placer ses tiges grimpantes sur un treillis ou un tuteur.<br>L'espèce *bifinnatifidum* a des feuilles très larges et |

| Plante | Environnement | Description |
| --- | --- | --- |
| **Philodendron** *(suite)* | | profondément incisées, ressemblant en quelque sorte à des mains vert foncé.<br><br>Bassinez les feuilles régulièrement et nettoyez-les à l'occasion avec un savon insecticide.<br><br>*Multiplication :* bouturage de tiges (segments terminaux) ou marcottage aérien. |
| **Pilea** | A1/2, B2/3, C2, D2, E1/2 | Le pilea est une plante populaire pour les rebords de fenêtre et le terrarium. Il possède presque autant d'espèces que le peperomia. Certains membres de ces deux genres se ressemblent. Les pileas peuvent mesurer 30 cm de haut, se propagent bien et constituent d'excellentes plantes pour les jardinières suspendues.<br><br>L'espèce *cadierei*, aussi appelée plante aluminium, a des feuilles vert pâle tachetées de gris argenté. L'espèce *micro-phylla*, communément appelée pilea à petites feuilles, a des feuilles menues et de petites fleurs qui expulsent le pollen.<br><br>*Multiplication :* pousse rapidement par le bouturage de tiges et de feuilles. |

| Plante | Environnement | Description |
|---|---|---|
| **Pin de Norfolk (sapin de Norfolk)** | A2, B3/4, C2, D2, E2 | Dans son habitat d'origine, l'île de Norfolk dans le sud de l'océan Indien, ce pin peut mesurer jusqu'à 60 mètres ! Dans votre salon, sa taille sera d'environ 1,50 m. Sa forme et ses aiguilles ressemblent beaucoup plus à celles d'un sapin qu'à celles d'un pin.<br>Ce pin peut vivre très longtemps sans beaucoup de soins, mais il peut perdre ses aiguilles s'il manque de lumière, spécialement l'hiver.<br>*Multiplication :* ensemencement (si vous pouvez trouver des graines) ou bouturage de tige ligneuse. |
| **Plante araignée** | A1/2, B2/3, C1, D2, E2 | La plante araignée a de longues feuilles pouvant atteindre 45 cm et des rejetons sur des tiges pouvant mesurer jusqu'à 90 cm. Son feuillage est, soit complètement vert, soit tacheté de crème et de vert. Les fleurs sont petites et blanches.<br>Si l'arrosage est irrégulier ou s'il y a des résidus salins dans le mélange, les feuilles peuvent brunir sur les bords. Parfois la plante met du temps à former les rejetons, spécialement si le pot est trop grand. |

| Plante | Environnement | Description |
|---|---|---|
| **Plante araignée** *(suite)* | | *Multiplication:* rejeton placé dans un mélange terreux humide. Séparez-le de la plante mère une fois qu'il a développé ses propres racines et que sa croissance recommence. |
| **Plante rouge à lèvres (aeschynamthus)** | A2, B2/3, C2, D2, E2 | La plante rouge à lèvres est en fait une vigne qui peut pousser jusqu'à 60 cm de long dans des paniers suspendus. Elle possède de petites feuilles vertes cireuses et des grappes de fleurs rouge vif. Elle fleurit à intervalles d'un an.<br>*Multiplication:* bouturage. |
| **Plante velours** | A2, B4, C1, D2, E2 | C'est une plante rampante au feuillage particulier; les feuilles sont longues, dentées, avec des veines et des poils pourpres. Elle fleurit rarement, ce qui est excellent car ses fleurs dégagent une très mauvaise odeur. Il est donc préférable d'enlever les bourgeons de fleurs à leur sortie.<br>*Multiplication:* bouturage. |
| **Plante zèbre** | A1, B3, C1/2, D2, E2 | La plante zèbre peut atteindre 45 cm de long. Les feuilles, très spectaculaires, sont vert foncé avec d'exotiques veines blanches. Les fleurs, d'un jaune vif, poussent en bouquets et sont entourées de bractées. De culture plus ou moins facile, elle a besoin d'un |

| Plante | Environnement | Description |
|---|---|---|
| **Plante zèbre** *(suite)* | | haut niveau d'humidité et d'une fertilisation régulière.<br>*Multiplication:* bouturage de tiges. |
| **Poinsettia (plante de Noël, poinsettie écarlate)** | A2, B3/4, C1, D2/3, E3 | Communément appelé plante de Noël, le poinsettia peut atteindre 1,20 m dans son habitat naturel. Comme plante d'intérieur, il mesure environ 45 cm. Ses petites fleurs jaunes sont entourées de bractées rouge vif, roses ou vert pâle. Les feuilles sont vert foncé et ont la forme des feuilles de chêne. Il faut le placer dans un endroit frais et bien éclairé.<br>Pour forcer la floraison, gardez la plante dans une pièce complètement noire, 12 à 14 heures par jour, à partir du début d'octobre. Une fois que les bractées de couleur se sont formées, vous pouvez cesser ce traitement. Aucun éclairage n'est nécessaire la première année pour obtenir la coloration.<br>*Multiplication:* bouturage de tiges en mai. |
| **Sanseveria (sansevière, (langue-de-belle-mère)** | A2, B1/2/3/4, C1, D2, E3 | C'est la deuxième plus populaire plante à feuilles. Sa taille peut atteindre 45 cm et plus. Les feuilles, |

| Plante | Environnement | Description |
|---|---|---|
| **Sanseveria** *(suite)* | | longues et effilées, sont marbrées de vert pâle et de vert foncé; les bords sont jaune pâle.<br>Elle demande peu de soins et pas d'engrais. Il faut arroser seulement lorsque le mélange est presque sec. Les arrosages irréguliers entraînent le brunissement des feuilles.<br>*Multiplication:* bouturage de feuilles. |
| **Spathiphyllum** | A1/2, B2/3, C2, D2, E2 | Cette plante peut mesurer jusqu'à 45 cm. Les feuilles sont abondantes, longues et très lancéolées. Les fleurs sont très durables. Elles ressemblent à celles de l'anthurium, mais possèdent une bractée ou une spathe blanche et des fleurettes jaune pâle. Il faut nettoyer la plante à l'occasion avec du savon insecticide.<br>*Multiplication:* division des racines. |
| **Violette africaine (saintpaulia)** | A1, B2/3, C2, D2, E2 | La violette est une petite plante qui fleurit toute l'année. Les feuilles sont velues et de vert pâle à vert foncé. Les fleurs, simples ou doubles, sont blanches, bleues, pourpres, roses ou de couleurs combinées. |

| Plante | Environnement | Description |
|---|---|---|
| **Violette africaine** *(suite)* | | Comme toutes les plantes aux feuilles velues, la violette africaine n'aime pas avoir de l'eau froide sur son feuillage.<br>S'il s'avère nécessaire de la laver, prenez de l'eau tiède distillée et gardez la plante à l'ombre jusqu'à ce qu'elle soit sèche. Si elle croît mais ne fleurit pas, augmentez la lumière et ajoutez un engrais riche en phosphore (5-10-5).<br>*Multiplication:* bouturage de feuilles ou division de racines. |
| **Violette persane (violette de Perse)** | A2, B2, C2, D2, E2 | Genre de buisson pouvant atteindre 30 cm et plus. Il possède plusieurs petites fleurs pourpres au parfum capiteux. C'est une plante annuelle; par conséquent, elle doit être remplacée quand les fleurs se fanent.<br>*Multiplication:* bouturage. |